アートプロジェクト文化資本論

3331から東京ビエンナーレへ

ART PROJECT AND CULTURAL CAPITAL

中村政人
MASATO NAKAMURA

晶文社

装丁　アジール（佐藤直樹＋菊地昌隆）
編集協力　仲俣暁生

はじめに

アートプロジェクトをつくり始めていたのはいつからだろうか？

高校1年の夏、野球部を辞め美術部に入り美大に進学する事を決めた。その決めた日に美術室から石膏像を勝手に持ち出し家でデッサンを始め、24時間絵の事ばかり考える日々が始まった。学校に行く途中も、授業中も放課後も、絵のテーマや制作の構想で頭がいっぱいで全てが美術の時間となっていた。

ある日、キャンバスとイーゼルを抱え海に向かった。山で育った私は、海に強い憧れを抱いていたからか、学校に行くふりをしてそのまま電車に乗り2時間かけて海に向かった。漁港付近でスケッチをしてからキャンバスを立て漁船を描く事と格闘し始めた。絵を描いているのが珍しいのか後ろに立ってくる見物人が多く、なかなか集中しにくかった。そもそも高校生なのに学校に行かないで海で絵を描いているという後ろめたさも少々あった。

しばらく描いていると話しかけてくるおじさんがいて、どこから来たか？　何をしているのか？　と聞かれ、美大を目指している浪人生と言ってしまった。そうかと感心したような声で、今日はどこに泊まるのか？　行く当てはあるのか？　と聞かれた。浪人生設定なので特に考えてないと言ったところ、じゃあ俺の家に来て今日は泊まっていけと言ってくれた。遅くまで絵が描けることもありそのままお邪魔して、美味しい夕飯をごちそうになり一泊させてもらった。なにか少し大人になったような、旅する画家の気分が味わえて興奮気味に次の日に学校に戻った。

当時、私は、画材を買うためもあり材料費の倍の金額で作品を時々販売していた。千円の画材だったら2千円というように。いつも買ってくれる友人が今回の漁船の絵も買ってくれた。この友人は、その後も時々私の作品を買ってくれて応援し続けてくれている。

この事をアートプロジェクトとして考えて整理すると、次の３つの行動に分析できる。

◎海で絵を描きたくて電車に乗り漁村に向かい外で絵を描く。
◎偶然出会った漁村の人に夕食と宿泊を支援してもらう。

◎完成した絵は学校で販売し次の制作資金をつくる。

さらにこれをアートプロジェクトの「ＰＤＣＡサイクル」と照らし会わせて考えてみたい。私が提唱するＰＤＣＡサイクルは、一般に言われるものとは異なり、Ｐ＝Plan 計画、Ｄ＝Do 実行、Ｃ＝Critic 批評、Ａ＝Awareness 気づき、としている。

始まりをＡとして見ると、Ａ：海に行って絵を描きたい、という衝動的な感情。Ｐ：キャンバスとイーゼルを抱え電車に乗って海に向かい制作するという計画。Ｄ：海岸で漁船を描く。描く事で地域住民と自然な交流と信頼が生まれた事。Ｃ：批評。完成した作品を友人に公開・販売し資金を得て次の制作準備をする。その結果、次はどこで作品を描こうかなど作品の構想が始まり、新たな作品のＡ＝気づきが生まれる。

当時、何気なく行っていた事だが、整理して考えるとこのＰＤＣＡサイクルの流れが始まった事が、その後表現の世界に踏み込む契機になっていたと言える。高校生が海に絵を描きに行くというシンプルなことなのだが、その時の表現衝動や行動力が今のアートプロジェクトへの道筋につながっているように思える。

ちなみに、他にもクラスの同級生の誕生日に小さな絵をプレゼントするプロジェクトもやっていた。突然、リンゴの絵とか、自画像とかをプレゼントしていたので、もらった方も驚いていたと思うが、今考えるととても愛あるアートプロジェクトだったと言える。

絵を描くという行為も「プロジェクト化」することで表現や関係が広がってくる。絵だけが目的なのではなく、海に行きたいという感情とそこから始まった人との出会いや対話、新しくチャレンジしたいという気持ちが自然と生まれてきた事、その出来事の流れそのもの、プロセスそのものが大切にしたい事なのだと改めて確信する。一枚の絵を描く事から表現活動が始まった私だが、いつの間にかモノより出来事をつくる事に情熱をかけるようになった。「アートプロジェクト」として自分の創造するプロセスを設定することで、肩の力が抜け表現することがより自然になってきている。

一人の人間の心の中に芽生えたイメージを具現化、可視化させ社会に新たな価値を生み出していく創造プロセスそのものがアートプロジェクトである。そのアートプロジェクトが、一人の創造力と都市の創造力をシンクロさせ創発するシナプスをつくりだしていく。結果、シナプスの生成そのものが私達の中で身体化され、文化資本を形成していく。

本書は、私が実践してきた表現活動をアートプロジェクトという側面から書き下ろし、過去のテキストも再編集して構成したものだ。自分自身の活動を振り返り、その活動について掘り下げる事で、改めてアートプロジェクトとは何か、文化資本としての社会的価値とは何かを問いたい。アーツ千代田 ３３３１から東京ビエンナーレが始まるまでを中心にして章立を構成し、さらに私の初期からの主なアートプロジェクトの概要やステートメントも書き入れた。ポストコロナ社会においてオルタナティブなアートシーンの基盤をつくりだす一つの礎となる事を願っている。

中村政人

目次

第2章 アートプロジェクト小史

Ⅱ アーツ千代田 3331

第3章 構想から立ち上げまで

第4章 3331の基軸プロジェクト

終章 コミュニティ・アートプロジェクトを運営する

Ⅰ　東京ビエンナーレ2020／2021

「東京ビエンナーレ２０２０／２０２１」は、東京都心の北東エリアにあたる千代田区・中央区・文京区・台東区の四区にまたがるエリアを中心に、２０２１年を第１回として開催される２年に一度のアートフェスティバルである。

1

顔のYシャツ
神田店 3291-3112 銀座店 3571-6236
中村ビル

9
7
8

1　宮永愛子　ひかりのことづけ
［撮影］ただ（ゆかい）

2　東京Ｚ学研究所　コンクリートの円形台座と鉄パイプ／御徒町

3　東京Ｚ学研究所　カラーコーンとタイヤ／湯島

4　中村政人　私たちは、顔のＹシャツ

5　佐藤直樹　そこで生えている。2013-2021
［撮影］ただ（ゆかい）

6　西尾美也　着がえる家
［撮影］ただ（ゆかい）

7　椿昇　TOKYO BUDDHA

8　O JUN　絵と目
［撮影］ただ（ゆかい）

9　西村雄輔　Spirit of the Land〈地の精神〉

＊撮影クレジットのない写真はすべて［撮影］中村政人

第1章

「東京ビエンナーレ」は都市の創造力を進化させる

「東京ビエンナーレ」着想の瞬間

「東京ビエンナーレ２０２０／２０２１」は、東京都心の北東エリアにあたる千代田区・中央区・文京区・台東区の四区にまたがるエリアを中心に、２０２１年を第１回として開催される２年に一度のアートフェスティバルである。

歴史的にも文化的にも豊かな東京のこのエリアにおいて、隣接する地域同士が協働で取り組み、いままでになかった人や活動の回遊性の向上を通じて地域としてのブランディングを図るとともに、都市の未来を描いていくことを目指して「東京ビエンナーレ２０２０」として企画され、２０２０年の夏から秋にかけて開催予定だった。しかし直前に世界を襲った新型コロナウィルス感染症（COVID-19）により計画変更を余儀なくされ、その後２０２１年７月10日に開幕した。

私は東京ビエンナーレ市民委員会の共同代表として、その企画立案から実施までの全段階に責任者として関わってきた。

私が最初に東京ビエンナーレの構想を抱いたのは、「アーツ千代田 ３３３１」（本書の第Ⅱ部で詳しく述べる）設立のための事業コンペ提案書（２００８年制作）を書いたときのことである。私はこの提案書に次のように書いた。

「東京ビエンナーレ00」——秋葉原で開催された国際ビデオアートプロジェクト「秋葉原TV」の手法を軸とし、秋葉原地区、神田地区をエリアに開催される国際芸術展。空き室、空き店舗の再活用などの提案も含め地域再生のプログラムも取り入れる。また、区民の文化活動も時期を合わせ広範囲のイベント、展覧会期間とする。2011年、2013年と2年おきに行う。

当時は立ちあげたばかりのアーツ千代田 3331の運営で精一杯であり、「東京ビエンナーレ00」の構想は実現に至らなかった。だがこのときから、「東京ビエンナーレ2020／2021」に至るビジョンが私にははっきりと見え始めていた。

縮小するアートシーンとその構造

ところで、ここに一つの衝撃的な数字がある。日本の美術教育機関として最難関といわれる東京藝術大学絵画科油画専攻の受験者は、この30年間で約3000人から1000人へと、なんと3分の1に激減しているのだ。これには少子化や私立大学の増加、表現メディアの多様化、経済格差など様々な理由が考えられるが、アートの世界に大きな地殻変動が起きているのは間違いない。ひとことで言えば、その基盤が脆弱になってきているのだ。

そのことを理解するには、現在の日本のアートシーンの構造がどうなっているのかを知る必要がある。日本のアートシーンは、以下のような七つの事業のあり方が歴史的に形成されてきた（図1）。

①オルタナティブ系ギャラリー　いまもっとも活発なのはアーティストが作品を制作し、自ら企画した展覧会で発表するオルタナティブ系のギャラリーである。世界中のどの地域においてもアーティストが自らのイニシアティブで企画制作し、グラスルーツな活動としてこうしたギャラリーを展開している。日本でも最も新鮮で生々しい表現はここから生まれてきている。

②地域系アートプロジェクト　いま日本全国で広がっているのが地域系の小規模なアートプロジェクトである。オルタナティブな活動をしている①のアーティストを中心に発展してきたもので、アート系のＮＰＯや市民活動団体と連携して開催されている場合が多い。まだまだ過渡期であり、そのあり方も吟味されていくプロセスにある。私たちの「コマンドN」もここに含まれる。

③公募団体展　戦前からの長い伝統をもつ日展や二科展といった公募団体展も、いまなお強固で権威的なピラミッドを形成している。しかしその活動はいずれも趣味性が強く、縮小傾向にある。またこうした公募団体展はアートの国際的なステージとは接続していない。

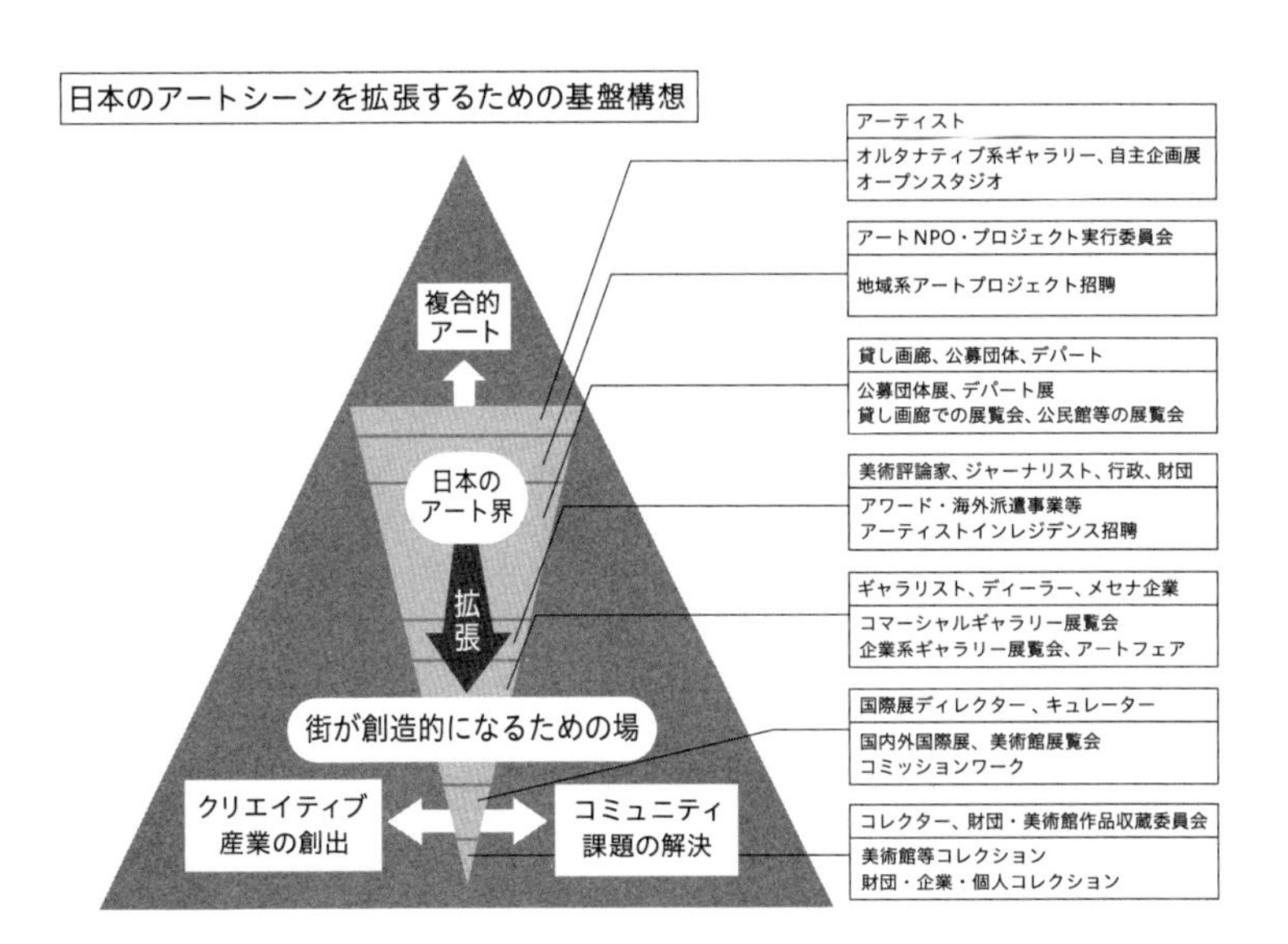
日本のアートシーンを拡張するための基盤構想
複合的
アート
日本の
アート界
拡
張
街が創造的になるための場
クリエイティブ
産業の創出
コミュニティ
課題の解決
アーティスト
オルタナティブ系ギャラリー、自主企画展
オープンスタジオ
アートNPO・プロジェクト実行委員会
地域系アートプロジェクト招聘
貸し画廊、公募団体、デパート
公募団体展、デパート展
貸し画廊での展覧会、公民館等の展覧会
美術評論家、ジャーナリスト、行政、財団
アワード・海外派遣事業等
アーティストインレジデンス招聘
ギャラリスト、ディーラー、メセナ企業
コマーシャルギャラリー展覧会
企業系ギャラリー展覧会、アートフェア
国際展ディレクター 、キュレーター
国内外国際展、美術館展覧会
コミッションワーク
コレクター、財団・美術館作品収蔵委員会
美術館等コレクション
財団・企業・個人コレクション

図1　アートシーン拡張

④アーティスト・イン・レジデンスや各種アワード　このところ年々充実してきているのがアーティスト・イン・レジデンスや様々なアワードで、国による積極的な文化芸術政策の成果も見えてきはじめている。

⑤アートマーケット　欧米や中国のアートマーケットに依存するかたちではあるが、日本においても作品を売買する場としてのマーケットが少しずつ発展している。ただし作品売買で生活が成り立つアーティストはごく少数であり、売買される作品の傾向も限られている。

⑥国際美術展　ビエンナーレ（隔年開催）やトリエンナーレ（3年に一度開催）形式で行われる各種の国際美術展も存在感を増している。ここ10年の間に行政や財団が中心となる国際展が世界の主要都市で数多く行われるようになった。日本でも札幌や横浜、名古屋をはじめ多くの都市で国際美術展が行われている。その特徴は、美術館単体では展開できない地域創成型の作品にあり、展覧会プロジェクトそのものが地域再生や経済波及といった効果も生み出している。

⑦個人コレクション　さらに原美術館などに代表される民間のコレクションも重要な役割を演じている。

現在の日本アートシーンはこれら①から⑦までの各事業によって支えられているが、前述のとおり全体的には構造的に縮小傾向にある。私がアーティストとして活動を開始した30年前と比較すると、現代美術のコレクター層はアートフェアやコマーシャルギャラリー等の展開により拡大しているが、美術館の購入予算の減少と共に投資対象としての作品の価値は伸び悩んでいる。また縮小に向かう構造はアートだけではなく、日本の社会構造そのものに見てとれる現象である。

「アート×産業×コミュニティ」

こうした状況のなかで私がいちばん重要だと考えるのは、「アート」「産業」「コミュニティ」の三領域を横断的につなげる「アート×産業×コミュニティ」を指針として既存のアートシーンの構造を拡張し、新たな基盤を形成することである。

具体的には図1のようにアートを産業とコミュニティ（地域社会）に接続することで、経済的な裾野を広げ、アートそのものの社会的価値を機能させていくことだ。産業面においては、クリエイティブ産業を構成する事業体との協業を通じて、次世代のニーズを支えるクリエイティブ商品や多様なアーツ事業、観光産業や文化の「6次産業化」への展開も期待される。

地域コミュニティはいま、閉塞した精神状態が起こす人間力の虚弱化と、その結果としての犯罪や自殺の多発、中心市街地のスラム化や周辺地域の過疎化・限界集落化など、様々な社会課題を抱えている。いかにこの課題を解決するコミュニティ・アートプログラムを実証的に開発していくかが急務とされており、地域文化資源の継承と新たな地域文化の創造に対しアートシーン全体で取り組まなくてはならないと私は考えている。

アート界全体をみても、従来の欧米型ファインアートマーケット中心の作品展開だけではもう十分ではない。産業とコミュニティに対して接続・拡張する機能をもち、多様化する表現メディアやデバイスを自在に扱い、新しい価値創造とソーシャルフィールドを生み出すインキュベーターとしてのトランスアーティスト（領域横断型）こそが、次の時代の先導者となっていくはずだ。

「アート×産業×コミュニティ」は一人のアーティストとしてだけでなく、コレクティブな事業体としても実行できる行動指針である。日本が一丸となって推進する文化政策として、私自身が積極的に唱えていきたいと考えている。今回の東京ビエンナーレがこの考えを東京という都市で実践したものであることはいうまでもない。

誤解されることが多いためあえて記すが、東京ビエンナーレはたんなる国際的なアートの祭典ではない。〈「アート」と「産業」と「コミュニティ」をクロスさせ「社会文化資本力」を創造する〉という考え方を基軸とし、「都市の創造力」を刺激し未来をつくるための催しである。

ここで少し視点を少し変えて、進化論の比喩で「都市の創造力」の必然性を考えてみたい。

最も初期の人類であるアウストラロピテクス（猿人）は、約400万年前にすでに二足歩行をしていたとされている。子ども向けの本に載っている人類の進化図ではしばしば「四足で歩いていた動物が、徐々に背筋が伸びて二足歩行できるようになり、現在の人間となった」というイメージで描かれる。こうした進化のイメージはとてもわかりやすいが正確ではない。

よく考えれば当然だが、ある特定の猿人が進化して、現在のある一人の人間になったわけではない。最初に二足歩行をはじめた猿人は一人だけではなく、きわめて大勢のアウストラロピテクスが、少しずつ段階を追って行動変容を起こし、やがて一斉に二足歩行を始めたというのが正しい。そのような一斉変化、あるいは長期的な進化において重要な役割を演じたのは環境的・生態的刺激だと言われている。その結果、猿人という種の遺伝情報が少しずつ書き換えられ、長い時間をかけていまの人類へと進化してきた。アウストラロピテクスのDNAに影響を与えた生存本能に直結する外的刺激として気候や食べ物の変化も強い因子となったと考えられている。

いささか大胆な比喩だが、私の考える「都市の創造力」とは、かつて猿人が同時的に進化したときに起きたような全体的存在への刺激のことである。生物に起きたのと同じようなプロセスは、都市が大きな変化を遂げる上でも強い因子になるはずだと私は考える。

東京ビエンナーレでは、それを実際に試してみたい。東京という都市を同時的かつ一斉に進化させるための環境的、生態的刺激となることをめざしたいと思ったのだ。この都市で日々行われている膨大なイベント、プロジェクト、あるいは事業が、それぞれの想いをつなげるフレームをシェアすることで、「東京の創造力」を最大限に引き出すことができる。それらが二年に一度のペースで反復され、個と全体がつながる強いシナジーが繰り返し生まれることで、それまでバラバラだった東京の各領域で新陳代謝が始まり、この都市全体があるとき一斉に進化する――そんなことを夢想したいのである。

クリエイティブ・プロセスが街の心を開く

地域社会とアートを「接続」するとは、具体的にどういうことか。アートプロジェクトで関わっている地域の人と話していると、「私の街には何もない」という嘆きをよく聞かされる。「山と田んぼばかりだ」「パチンコ屋しかない」「休みの日に行くところがない」等々、まるでそこには何もないのが当たり前だと、最初から諦めてしまっている。

しかしその「何もない」という嘆きが生まれるのは、目の前の風景に心を閉じ、自分の感性で何かを感じ取る術を放棄しているからではないか。やや強い言い方をするなら、その地域社会の問題ではなく、そのように諦めて価値観が退化してしまい、他者に向き合って何かを感じとることから心を閉ざしている人自身の、創造力のなさに起因しているだけではないのか。

では、そのような人たちの心をどうしたら開くことができるか。どのような対象であれば「わが街にはこれがある」と自信をもって言えるのか。

地域社会のうちでも文化や産業の中心地である「街」（あるいは「都市」）は、ほんらい魅力に溢れた場所だったはずだ。具体的な場所やモノだけではなく、風習のような形のないものも含め、街のあらゆるところに地域の魅力は潜んでいる。だがそれらも、気づかれないまま時が過ぎると風化し、消滅してしまう。

地域に潜んでいながら、そのように発芽せずにいる魅力ある対象のことを、私は「地域因子」（図2）という言葉で表している。地域因子は、自然、文化、芸術、施設、歴史、食物、人材、技術など様々なカテゴリーのなかで有形無形に存在しており、「近未来に何かが起こるかもしれない」という期待感や可能性を備えている。いわば「地域の魅力を次代に伝えるＤＮＡ」のようなものである。

この地域因子を魅力ある街の「宝」とするような近未来がイメージできれば、街にもそこに暮らす人々にも新しい価値を宿らせることができるのではないか。こうした地域因子に対して期待感をもち、成長するビジョンを描いたのが先の図である。ビジョンを実現するために必要なアクションを創造し、計画・実行する、いわゆるＰＤＣＡ（計画・実行・批評・気づき）のサイクルを何度も繰り返し、トライ＆エラーしつつ決してあきらめずに続けることが重要だ。

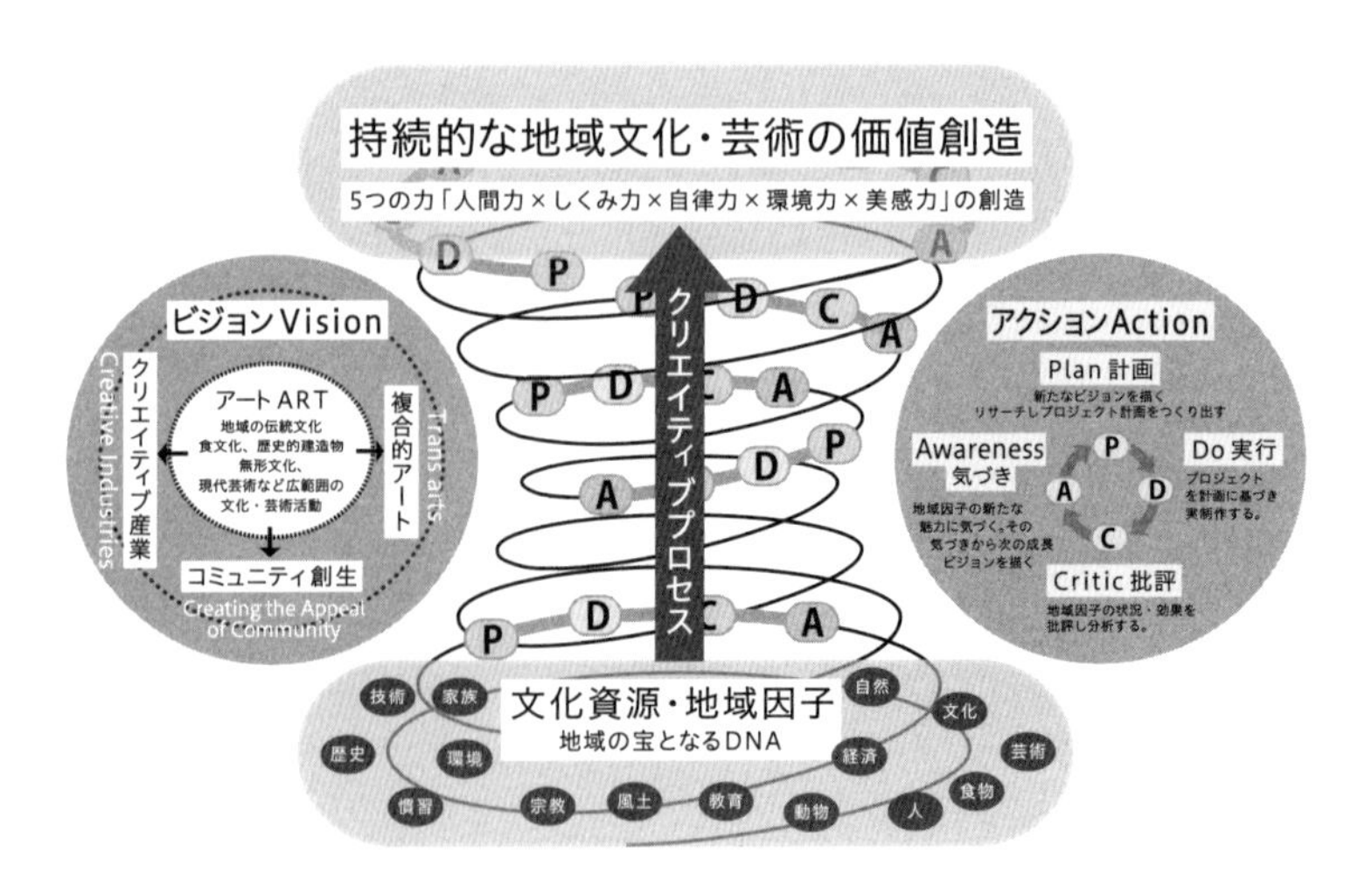

図2　地域因子のクリエイティブプロセス

これらを通じてビジョンが理想に近づいてきたとき、地域因子は魅力ある新しい価値となる。「何もなかった」はずの街に、これまでも潜在的には存在していた要素が新しい魅力として認知され、閉じた市民の心が開放され、街も人も元気になっていく。こうした一連のプロセスそのものが価値観の形成や生活意欲に、直接的に影響を与えるのだ。

あたかもそれは、完成度の高い作品をつくろうとするアーティストが、理想を求めて何度も絵を描き直す姿に似ている。地域因子が街の魅力ある宝となるまでには、芸術作品に価値を宿らせるのと同じくらいクリエイティブなプロセスが必要であり、気長に水を与え続けなくてはならないのである。

地域因子はどこにでもある

この地域因子という考え方を私が得たのは、1997年に開始したコマンドNの活動を通じてだった。コマンドNでは多くのメンバーやアーティストはもちろん、助成・協賛・協力してくれた多くの財団、企業、ボランティアスタッフ等と協働してきた。こうした多くの人々と考えてきたことや理念は、そのたびに様々な共感や批評を生み出してきた。だからこそ、コマンドNが20年間の活動のなかで協働し創り上げてきたことが、関わってくれた人たちの多様な価値観に支えられながら、次第にその全体を貫く考えがあぶりだされ、はっきりと実感できるようになってきたと思う。

そこで、やや遠回りになるが、コマンドNの活動を通じて見えてきたことを記述してみたい。それは「価値とはなんだろう」ということだ。モノの価値、アートの価値、街の価値、産業の価値、サスティナブルな価値、価値とはどのような構造を持っているのか。

価値とは「人＋しくみ＋お金＋美しさ＋環境」の五つの要素のバランス関係である、というのが現在の私の考えである（図3）。ただし、実際には満遍なくバランスが取れている場合は少ない。多かれ少なかれどこか偏っているのが現実だろう。しかしなかには社会関係資本（ソーシャルキャピタル）が培われており、持続可能性の面で価値が高いと思われる例も存在している。

イタリアでこんな経験をした。「サスティナブル・ガイドブック」という、ミシュランのガイドに似ているが、持続可能性の面で価値を持つホテルばかりをランク付けした本があるのだ。ミシュランとの違いは、豪華なホテルよりもペンションのような小さな宿が数多く紹介されていることだ。

ガイドに紹介されていたギャラリー付ホテルにも実際に行ってみた。山深い、もともとは何かの工場をリノベーションしたホテルで、ガイドには村が経営していると書いてあった。到着してもフロントには誰もおらず、呼び鈴を押すと村人が外から走ってきて出迎えてくれた。電灯を点けるのもそのあとで、かなり節約した運営方法である。だが地元の食材による

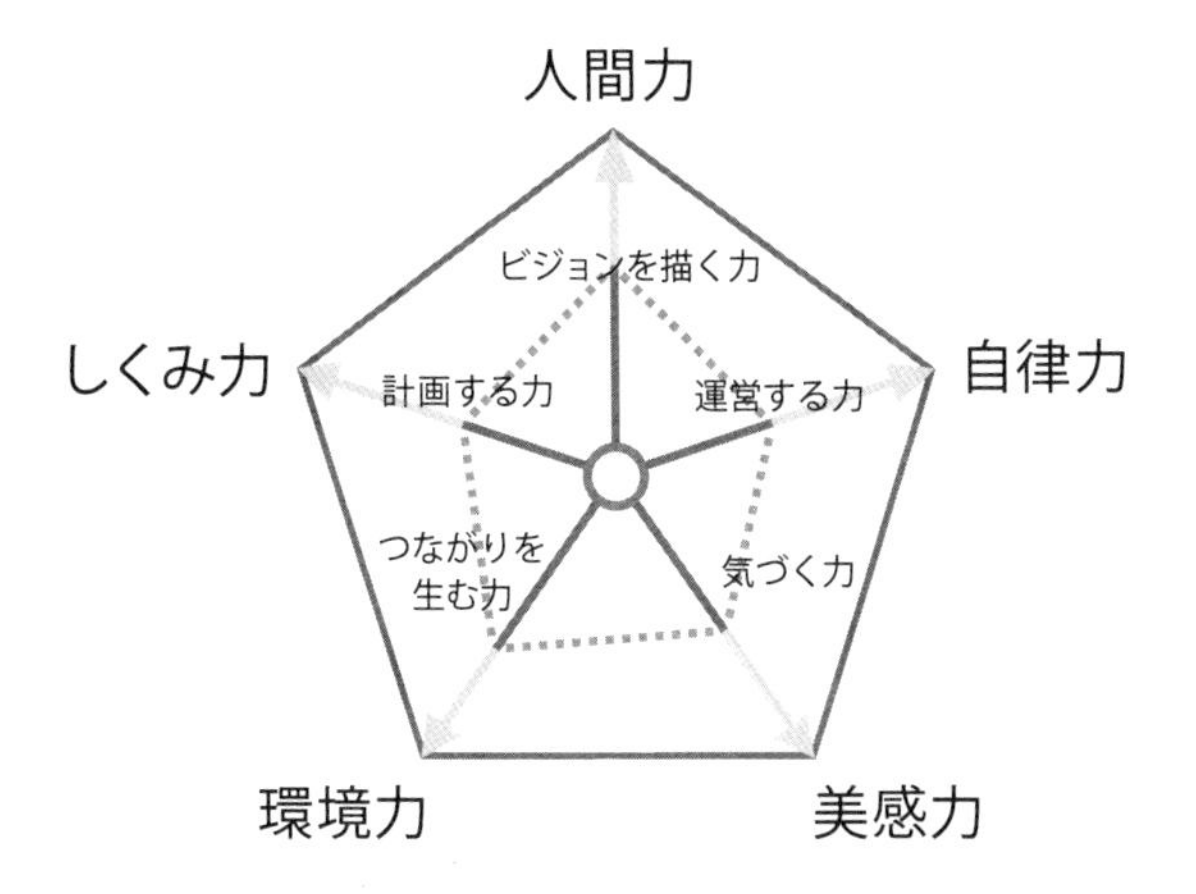

図3　価値をつくる五つの力

村人の手料理は、素朴ではあるが愛情たっぷりだった。工場跡なので広々としているギャラリーには村の歴史的遺産や文化財が置かれ、アーティストの写真展や、サスティナビリティをテーマにした展覧会も行われていた。夜になるとろうそくと月明かりで静寂な自然が満喫できた。

あらためて、このホテルを「人＋しくみ＋お金＋美しさ＋環境」の関係に注目して分析してみる。①どんな「人」がいかなる想いで行っているのか、②再生品を使うなど環境負荷をかけない生活スタイルや「しくみ」はあるか、③適正な規模で「お金」を生み出す自立した運営経営状態になっているか、④建築や家具等のデザインにも個性的で文化的な「美しい」意識をもっているか——これらをまとめると、地域の魅力的な「人」が行うどんな「しくみ」が経済的に自立した「お金」を生み出し、その地域独自の文化的「美しさ」を生み出すことができるのか、ということになる。イタリアの村営のこの小さなホテルでは「人・しくみ・お金・美しさ」の四つが重なり、環境に負荷をかけない循環を生み出す社会的コミュニティが自然に形成されていた。その意味では価値ある〝五つ星〟のホテルと言える。

「人＋しくみ＋お金＋美しさ＋環境」は、「いかなるビジョンを持っているのか?」「そのビジョンを社会的に実現する組織やシステムはどうなっているのか?」「その実現したものは、経済的自律を抱き続けられるのか?」「その結果、美しさを感じるものとなっているのか?」そして「その生み出すものは環境負荷をかけないサスティナブルな流れになっているのか?」という問いに言い換えることができる。

問題はこの五つの要素のバランスだ。しくみが良く経済性も高いが、世代交代ができておらずビジョンが保てない、ということはありうるだろう。商品としては売れているが、アンフェアな取引や環境負荷をかける生産体制がネックになっているなど、バランスがいびつになっている事例は現実に多い。そこで、いびつなところを補うように他の価値を関係付けることが必要になる。コンピュータ・プログラムの機能を拡張するように、ある価値が別の価値を相補するような考え方が重要になってくるのだ。

アートプロジェクトとは、この相補すべき価値と価値のスキマに新たなプログラムを生みだし、価値のバランスを整えていくことだ。私がコマンドNで行ってきた活動は、その意味でもアートプロジェクトであったと自負している。今回の東京ビエンナーレもその延長線上に位置しているが、まずは二つの過去の事例を地域因子という焦点に絞って振り返る。

「秋葉原TV」(1999年、2000年、2002年)

東京・秋葉原の地域因子を魅力ある街の価値として認識するために、1998年に「秋葉原TV」というアートプロジェクトを企画した。当時の企画書に私はこう書いた。

「秋葉原電気街でビデオアートのプロジェクトを実現したい。無数にある販売用のテレビをジャックし、突如、アーティストのビデオメッセージ的映像作品が上映されたらどんなにワクワクすることだろうか？」

このときに注目した地域因子は、秋葉原電気街そのものであり、日本の最先端の電気製品、特にテレビだった。ハードには手を触れず、ソフトの魅力で街の風景を変えるというビジョンを描き、それを実現するために必要なアクションを起こした。

具体的には、秋葉原の電気街まで歩いて行けるところに制作拠点をつくった。低予算で、自分たちでセルフリノベーションできるスケルトンな物件だった。一階のギャラリーは、開口部の壁を全部つくり直し、「場をつくる」ということ自体を目的とした実験的な展覧会を開催した。月に一度、二、三十人くらいが集まるトークイベントを夜に開催し、小さなアートコミュニティが広がっていった。これらの一連のアクションは、「秋葉原ＴＶ」というビジョンを実現するために必要な心構えや、チームワーク、具体的なネットワークを構築していく重要なトレーニングとなった。

地元の電気街振興会からも協力を得ることができ、最終的には約１０００台のテレビモニターを確保した。大量のテレビモニターから大勢のアーティストのビデオメッセージが流れるアートプロジェクトが実現できただけでなく、ファンドレージング、広報、店舗・アーティスト交渉、会計などでも30人くらいのスタッフがボランタリーに活動した。

このときに地域の店舗にしてもらったことは、「朝の開店時に、秋葉原ＴＶ用のビデオテープをデッキに入れ、スタートボタンを押す」というごく簡単な行為だけだった。わずかそれだけで秋葉原の地域因子である無数のテレビモニターが、強い存在感をもって、秋葉原の街の魅力とともに浮かび上がったのである。

このクリエイティブ・プロセスは、

①街に新たなビジョンを描くクリエイティブコミュニティが生まれたことにより、
②プロジェクトを実現するための組織やスキームが開発された。
③期間限定ではあるが自立的に運営が行われ、
④プロジェクト実現のための予算体制が組み立てられた。
⑤地域コミュニティとのそれまでにない関係性が構築され、
⑥その結果、秋葉原に対する文化意識の感度が高まり、カオティックな秋葉原のイメージに新たなカッティングエッジな価値観が広く発信された、

と整理できる。

「アーツ千代田 3331」(2010年〜)

もう一つの事例は、第2部でも詳しく述べる「アーツ千代田 3331」である。このときの地域因子は、「閉校になった中学校」「五軒町の町会や中学校の卒業生」「トランスアー

ツ：複合的な芸術の可能性」だった。そしてビジョンは「この閉校になった中学校を経済的にも自律した運営で、どんな人でも使うことができる街に開いたコミュニティ型のアートセンターとして再生し、様々な社会課題を解決するプログラムや人材を生み出す拠点をつくる」ことだった。

アーツ千代田 3331の立地する神田五軒町という地域は、上野の歓楽街、湯島のラブホテル街、秋葉原の電気街に囲まれていながら、どの街区にも入らないという経済的にはボイドなエリアだった。他方、文化的にも谷中・根津・千駄木、本郷、上野といった近代的な文化学術ゾーンの外側に位置しており、現代オタク文化の街である秋葉原の影響も薄い。行政上は千代田区に含まれるが、文京区、台東区との区境がある。町会の自治力は強いが居住人口は少なく、昼間人口の事業者によって街が成立している。

アーツ千代田 3331では経済的、文化的、政治的インフラの三つに横串を差し、隣接するエリアの地域力を高め「アート×産業×コミュニティ」の複合的活動拠点としてビジョンを描いた。詳細は第2部に譲るが、開館から一年で約1000の活動が生まれ、いまも年間約80万人が利用している。「閉校になった中学校」としての地域因子は、明らかに地域の魅力を引き出し、新しい価値を生み出す社会的な場へと進化した。3331の開設以後、このエリアのソーシャルキャピタルは高まった。

このことからも、「何もない街」などない、どんな街にも必ず、魅力ある地域因子が存在していることがわかる。その地域因子に心を開き、自分の成長と街の成長がシンクロするように地域因子のクリエイティブ・プロセスをつくり出していくことが大切なのだ。

「都市の創造力」と「社会文化資本力」

いま東京という都市では、いったい毎日どれくらいのイベントやプロジェクトが行われているだろうか。美術館や博物館、コンサートホール、映画館、劇場などイベントを行うための専門的な常設会場もあれば、野外でのお祭りや伝統行事、グルメイベントやフリーマーケットといったかたちでも、大小のイベントが数え切れないほど行われている。

一過性のイベントではない持続的なプロジェクト、たとえば地場産業とデザイナーがコラボレーションして新しい商品を開発したり、古い建築をリノベーションしてコミュニティのハブにしたり、空洞化した中心市街地に新しい住人が移住するための仕組みをデザインしたりなど、地域の社会課題に向き合う活動も数多く行われている。つまり全体数を把握できないほど各所で無数のイベントやプロジェクトが企画・制作されているのである。

これに行政や民間企業等が主導している事業まで含めたものが、1300万人もの巨大人口を抱える大都市・東京が日々つくり出す文化資本であり、「都市の創造力」そのものと言える。脳内での神経シナプスへの刺激が「考える・創造する」という行為を生み出すように、都市で行われている多様なイベントやプロジェクト、事業こそがその都市を刺激し続け、新たな可能性を自己組織化していく契機になる、と言えるのではないだろうか。

震災と戦災で二度も焼け野原になった東京がその都度ゼロから這い上がり、自らをつくりあげ続けることができたのも、「考える・創造する」ための膨大な刺激が成長を促してきたからではないか。

1964年に一つ前の東京オリンピックが開催された際にも、社会事業やそれを支えた多様なイベントやプロジェクトが集中的に行われた。それらは高度経済成長の原動力となっただけでなく、「その後の東京」の像を創りだしたと言える。あらためて東京でオリンピックが開催されるこの機会に大切なのは、「考える・創造する」ための膨大なシナプスへの刺激、つまり「都市の創造力」をいかに構築し働かせるかである。しかも今回は、高度経済成長やバブル経済崩壊の原因となった過剰な生産と消費を前提とする社会構造から、創造力を働かせる成熟社会へとシフトチェンジしていくためにこそ、「都市の創造力」に豊かなエネルギーを与え、その創造的な場を新たに再設計しなくてはならない。

ではどうやって現在にふさわしい「都市の創造力」を再設計していくのか。その指針となるのが、「アート」×「産業」×「コミュニティ」＝「社会文化資本力」という考え方である。

フランスの社会学者ピエール・ブルデューは、文化資本という概念を次の三つの形態で整理した。

・「客体化された形態の文化資本」（絵画、ピアノなどの楽器、本、骨董品、蔵書等）
・「制度化された形態の文化資本」（学歴、各種「教育資格」、免状など）
・「身体化された形態の文化資本」（言語の使い方、振る舞い方、センス、美的性向など）

私はブルデューのこの文化資本という概念を踏まえつつ、次の三つの指標を「都市の創造力」を生み出す要素として提示したい。

○個人の創造力が新しい価値を生み出す、広い意味での「アート」
○デザインや建築、自動車まで日本のものづくりを牽引する「産業」
○地域社会に、適正な規模で持続的な生活環境をつくり出す「コミュニティ」

この三つが掛け合わされ相乗効果を生み出すことで、持続的な「社会文化資本力」が生まれると私は考える。

価値が有形として存在するものもあれば、努力して学び得る無形の価値もある。あるいはその土地に生まれたことで、生活のなかで自然に得るものもある。そうした様々な文化資本に、さらに「アート」と「産業」と「コミュニティ」とが掛け合わされることで経済資本と社会関係資本の両者の蓄積が生まれ、それまでの文化資本を含むかたちで「社会文化資本」と呼ぶべきものが生まれてくる、と私は考える。

21世紀の成熟社会においては、経済的成長よりも、人と人の信頼や絆、コミュニケーションを大切にすることが優先される。その理由は、コミュニティや家族、友人との充実したライフワークバランスを支えるサスティナブルなプログラムが、社会文化資本を形成していくからである。その意味で、この三つの力が掛け合わされた「社会文化資本力」を基準に「都市の創造力」を再設計する必要がある。

「社会文化資本力」は、これまでの「国力」という言葉で表されてきた成長戦略のもとでの共同幻想から人々を目覚めさせ、根源的な力を回復させる力があると私は考える。1000兆円もの国の赤字を延々と次世代に継承していく経済至上主義から脱却するには、市民の全体的存在となる「日本の創造力」を大きく軌道修正しなくてはならない。「アート」と「産業」と「コミュニティ」の力を合わせ「日本の社会文化資本力」をつくり出すことが、二度目の東京オリンピックを経た後の国家的なビジョンとして求められている。

アートプロジェクトがもつ柔軟さ

日本のアートの諸制度は、「美術館」という概念をはじめとして、西洋からカット&ペーストしてもってきたものばかりで成り立っている。そのためにアーティスト自身が〈たとえば「価値とは何か」といったような〉本質的で大切な問いにぶつからないまま成長してしまう。東京ビエンナーレでは、そういったアーティストの成長プロセスも変えていきたいと考えた。

アーツ千代田 3331をつくったときは神田という地域にフォーカスし、もう使われなくなってしまった中学校の建物のなかに宿るものから東京という都市を見ていくというアプローチをした。今回は東京という果てしない広がりをもつ都市全体を考えることになるので、本質的な問題に真正面からぶつかっていくしかない。東京ビエンナーレでアーティストが〈関係〉する対象は東京という都市そのものだ。このプロジェクトに参加することで、都市の新陳代謝、いわばその息吹のようなものに関われる。それはとても魅力なことだと思う。

アートプロジェクトという概念について、ここであらためて説明しておいたほうがよいだろう。文脈によっていろいろな言い方ができるが、アートプロジェクトとは第一に〈出来事〉である。従来のアートの枠組みをまったく気にすることなく、時間軸と場を自由に設計し、人やモノ、お金も含めた様々なものに取り組める。そうした柔軟な概念であることが、アートプロジェクトの最大の魅力といえるだろう。

私は東京ビエンナーレ自体が、一つのプロジェクトとして自己組織化していくべきだと考えている。自己組織化とは、自らが変わっていく過程をメタレベルで理解しながら進んでいくということだが、ビエンナーレそのものを一種のアートプロジェクトとして実施することで、徐々にそのような理想的な状態に変化を続けていくプロセスが実感されていくはずである。これから先、東京という都市はどうなっていくのかという大きな問題に対しても、東京ビエンナーレではその進化の方向性を、あたかも生物の進化のように柔軟に提案していけるのだ。

従来のアートのフレームに立脚して美術館という〈箱〉から発想していくと、前例のない突発的な事態が起きたときに物理的にもスケジュール的にも動かしようがなくなり、ある段階に至ったところで、「やるか」「やらないか」の二者択一でしか考えられなくなる。だが東京ビエンナーレの場合、それ自体が一つの大きなアートプロジェクトなので、どのような事態にも柔軟に対応できる。場所を移動したり、時期をずらしたり、対象との関係を変えたりすることで〈つくる〉ことと〈生きる〉こととの関係をその都度、柔軟に生み出していけるのである。

こうしたアートプロジェクトという方法をとることには、経済性の側面でも意味がある。いまのアート界ではマーケット主導で作品が生まれている。美術作品が金融商品として扱われ、作品の価値が高まることで、作品を所有している人が利益を得るという仕組みになっている。

世界中の美術館やアートコレクターも、美術作品のもつ資産としての価値に非常に大きな比重を置いている。したがって彼らが好む美術作品は売り買いができるモノに限られてくる。その結果、物理的に成立していなければならないという条件によって、アートのあり方までが非常に狭いものに限られてしまうのだ。

私は絵や彫刻のようなアートがダメだと言っているのではない。そもそも画家になりたくてアートを志した人間なので、個人的にはそうしたものがとても好きである。しかし現在のアートシーンは、権威主義的な体制によって社会に閉ざされており、表現上の一種の「傾向と対策」のなかで作品が生まれ、マーケットの動向を忖度した一部のギャラリストやコレクターたちによるインサイダー的な取引によって市場が操作されている。私はその歯車の一つになりたくないだけである。

それよりも作者の思想や言葉、アクションといったものから、新たな社会ビジョンや価値観が発芽していく瞬間に立ち会い、その成長の可能性を開拓していくことに私は興味がある。アートプロジェクトを動かしていくと、それまで見えなかった新たな基層文化とともに、その場の多様な「ゲニウスロキ（地霊）」のようなものが見出されてくる。その場所の基層文化を形成している多様な要素を一つひとつ紐解き、新たな刺激＝創造性を発芽させることが、結果として個人の創造力と都市の創造力がシンクロしていく状態をつくり出していくのだ。

これは、町会での小さな集まりにアーティストが介在し新たなアートプロジェクトを共同することから、国際芸術祭で広く街を巻き込み展開することまで、すべてに共通する。

アーツ千代田 3331では、「3331 ART FAIR」というアートフェアを2013年から9回開催しているが、その想いはアートプロジェクトとしてのアートフェア開催へのチャレンジである。実際に自分たちの地域で作品を購入し、家庭や会社で作品鑑賞を楽しむ人を増やしていくためにアーティストと地域の人の出会いをつくるのである。

このアートフェアは作品の〈芸術性〉と、地域の〈市場性〉との間にいかなる関係をつくれるかという実験でもある。しかもそれは、グローバルマーケットに出すための作品に価値を見出すのではなく、手元に作品を置き日常の中で鑑賞を楽しむためのアートフェアであり、バーゼル型アートフェアのギャラリーやアーティストランクを基準にしたものとは、大きくその成り立ちが異なる。既存のマーケットに依存し、セカンダリーマーケットに流され、オークションのための素材となるような販売方式ではなく、顔の見えるコレクターに〈芸術性〉をじっくりと愛でてもらうためのローカルな〈市場性〉を構築するアートフェアなのだ。

3331にとって初めてのアートフェアだったが、〈市場性〉だけで行くならば、わざわざ自分たちがやる必要はない。アートフェアに〈芸術性〉と〈地域性〉の視点をあらためて導入することで、モノという形態以外にもアーティストの活動性など作品だけでは見えにくいさまざまな表現形態があることを提示するためのチャレンジだった。その意味でアートプロジェクトとは、アートをモノという形態以外で表現する究極のありかただと言える。

新しいコンピュータ・プログラムやプロダクトを作ろうとすることや、会社を起業することでさえも、考え方によってはアートプロジェクトに含めることができる。まだ理解しにくいかもしれないが、アーツ千代田 3331や東京ビエンナーレも、私にとっては「アートプロジェクトとしての作品」なのである。そこで起きるすべての事象に対峙し、アートプロジェクトの実現可能性を高めて行くこと自体が私の表現と言える。

〈純粋×切実×逸脱〉

東京ビエンナーレのキーコンセプトは〈純粋×切実×逸脱〉とした。〈芸術〉という言葉を使わずにその概念を伝えたいと思って考えたものである。

このキーコンセプトは、アーツ千代田 3331で開館時から展開している「ポコラート」（244ページ参照）というアートプロジェクトを展開するなかで生まれてきた。「芸術」や「アート」という言葉が簡単に概念化してしまう前の状態で、アーティストと言い切ってしまえない無名の人たちの発想や日々の行為そのものが、とても美しく尊く感じてしまうことを言い表すために考えたものである。

東京ビエンナーレのステートメントでは、この〈純粋×切実×逸脱〉を次のように記した。

「純粋」×「切実」×「逸脱」という3つの言葉と、その言葉がクロスすることで生み出される概念を、「東京ビエンナーレ」という新しい構想のフレームの中へ投げかけたい。関東大震災、第二次大戦の空襲で焼け野原になった東京、東日本大震災で起こった福島第一原子力発電所事故。「破壊と創造」が繰り返される日本において、「人間と物質」が生み出して来た様々な仕組みや社会環境を、私という「個」と私たちという「全体」の中にある社会関係資本（ソーシャル・キャピタル）を構築するプロセスを通して創造していきたい。そのためにも、ここで働き暮らす「私」の中にある「純粋」×「切実」×「逸脱」という〝身体的文化因子〞が、「私たち」へと一斉に進化するための起因となること。それが新たに創り出す「東京ビエンナーレ」である。別の言い方をすると東京ビエンナーレの各プロジェクトが「私」の内なる壁を打ち破り〝一点突破全面展開〞する契機となり、膠着している東京に新たなメタボリズムを与えること。そして多様な「私たち」の市民目線から押しつけや享受するだけのものではない、「自分たちの文化」を「自分たちの場所」で、創発的に組成していくこと。それが「私たち」東京ビエンナーレ市民委員会が考える、これからの時代の新しい「東京ビエンナーレ」である。

（東京ビエンナーレ2020／2021　HPより）

東京ビエンナーレではアーティストの作品やアートプロジェクトも、街の無名の人のちょっとした店構えの創意工夫も対等に知覚・体験できるように、街そのものを舞台として展開する。その意味では、元学校という空間を舞台とするアーツ千代田３３３１をはじめとする様々な「空間資源の集合体としての街」全体が、さらに〝メタ〟な舞台となり、〈純粋×切実×逸脱〉＝〈芸術〉という創造のプロセスを自己組織化するためのアートプロジェクトなのである。

東京ビエンナーレに参加する作家の具体的な作品に即して言うと、たとえば佐藤直樹さんの作品は、神田にある正則学園高校で展示が行われる。地下鉄神保町駅を降りて、古書店街を横目に神田の裏路地を通り抜けると、皇居の手前に位置する正則学園高校にたどりつく。ここまでの道中に見える様々な景色を形成しているすべての空間資源は、東京という都市が長い時間をかけて創造して来た基層文化の表出として捉えることができる。

この風景を形成している一つひとつの因子が、どのような意志をもって形作られそこに存在しているのか、その成り立ちの経緯を感じながら街を歩くこととなる。この地に生まれた時期が異なったとしてもそれぞれの存在に、〈純粋×切実×逸脱〉を問いかけてみたくなる。その無名の作者がつくった街の景色の海を泳ぐように、そのディティールを感じとりながら街を歩くうちに展示会場にたどり着く。

解像度をもう少し高くすると、古書店街の何とも言えない古書の香りや路地裏の喫茶店、看板建築の昭和な風情、路肩に群れるように集まっている観葉植物などが感じ取れるだろう。津波のように大手町からせまる再開発ビル群、開発にのみ込まれなかった裸になったペンシルビル、皇居を囲み外堀を塞ぐように走る首都高、展覧会という名目があるので堂々と入れる7階建のビルとしての高校校舎――これらの空間体験の連続を経て作品にたどり着き、ふだんは入ることのできない校舎に入る。すでにこの段階で知覚は敏感になっている。6階の教室にいくと中はうっすらとした暗闇になっている。目が慣れてくると、植物の風景が延々と続く腐海のような絵画空間に迷い込み、教室とは思えない静寂な森のなかを彷徨い歩くことになる。こうした作品を見て、また街に出てくることによって、都市の景色の見え方や身体的な知覚がうっすらと更新されていく。作品を体験することで、身体のなかで何かザワザワするものが呼び覚まされ知覚の扉が開いていくのである。

だが、そのまま放っておけば、その感覚はすぐに閉じてしまう。それを閉じさせないまま次の作品を体験すると、新しい知覚の扉が別の角度からまた開く。そうやって連続的に東京という都市とアートに接していくと、そこで得た知覚が記憶に刻まれ、意識化されていく。その感覚はその人の身体的文化として刻まれていくはずだ。

さきにも述べたが、東京ビエンナーレでは〈東京〉という都市を、ひとつの生物のような全体性をもつものとして捉えている。東京の創造性の中に新たなアクションや、異分子のような刺激が入ると、その刺激が東京の生物としての全体性に対して、それこそ感染症のように大きな影響を与えてしまう。もちろん逆に、部分的な一つのアクションが、全体に対抗しうる〈強さ〉をもつこともあるだろう。法制度や経済的な大きな力によって都市を変えていくのとはちがって、私たちがビエンナーレでやろうとしている東京という都市へのアプローチは、個人の内面に潜む知覚という、きわめて動物的な本能の中に潜んでいる。それは東京がもつ一種のアフォーダンスと言っていい。東京ビエンナーレでは、私たちの知覚をアフォードするクリエイティブフィールドを生み出していくことにチャレンジしている。アートの役割は、そこにあると私は考えているからである。

自主企画展の時代

アートに対するこうしたアプローチの先行例は、日本の戦後現代美術史をさかのぼればいくつもみつけることができる。吉村益信のアトリエ（通称ホワイトハウス）に集まったネオダダイズム・オルガナイザーズの一連の前衛アクションや、高松次郎、赤瀬川原平、中西夏之によるハイレッド・センターによる街にたいして直接行動を起こすイベント。海外では一柳慧やオノ・ヨーコなどの日本人作家も関わった芸術運動フルクサスがある。

とくに赤瀬川さんはその後、路上観察学会の活動をつうじて見出した「超芸術トマソン」を典型とする、観察するだけで受け手の意識を変えるような、きわめてコンセプチュアルなアート作品を「制作」していった。私自身、学生時代に「トマソン」に出会うことで、それまでの現代美術の息苦しさや、(岡本太郎のような)「爆発」を期待される市民の視線から解放され、肩の力が抜けて自分なりの視点で街を見ることができるようになった。今回の東京ビエンナーレでは、赤瀬川さんのそうした眼差しや表現姿勢の先にある考え方を、現代美術の文脈的にも感じ取れるように意識しつつ計画している。

現代美術の一般的な歴史では、1960年代のネオ・ダダと90年代の前半にデビューした私たちの世代の間には、「もの派」や「ポストもの派」、「ニューウェーブ」といった流れがある。この流れをつくっていったのは、美術館企画の展覧会ではなく、アーティストたちが自分たちで企画し制作発表した自主企画展だ。

アーティスト自身が企画して展覧会を行うことは、オルタナティブスペースを自主運営する活動など、いまでは当たり前のことに思えるかもしれない。だがかつては、必ずしもそうではない時代があった。現代アート専門の美術館はまだ存在せず、近代絵画を扱う画商さんが主流の時代である。アーティストたちは「いつかコマーシャル・ギャラリーや美術館で自作を発表したい」という思いをもちつつも、ただちにその機会を得ることができずにいた。そこで少しでも多くの人に自分の作品を見てもらうため、貸画廊などを自費で借りて展覧会を企画したのだ。

1970〜80年代には、私の先輩世代にあたるアーティストたちがさかんに自主企画展を行っていた。当時の貸画廊は、実験的公開スタジオのような生々しいラフな空間であった。展覧会のほとんどは、アーティストが会場費を払い自前でDMをつくる自主企画展だった。

神田の真木・田村画廊、秋山画廊、ときわ画廊、パレルゴンなどは、作品を制作発表する現場そのものだった。学生時代の私はその獣道を恐る恐るたどり、毎週画廊回りをして東京アートシーンを原体験していた。情報誌『ぴあ』に写真入りで載っていた野外での自主企画展の情報をみて、重要な展覧会かと思い行ってみると、学校の校庭の裏手に木切れがぽんと置いてあるだけというような、いま思うと、かなり純度の高い、逆に言えば独りよがりな企画が多かったように思える。なによりも自分たちで展覧会を企画し、作品の置いてある会場までユーザビリティなど無視して強引に誘導していくこと自体に得体の知れない面白さがあった。私の初めての展覧会も、立川の米軍ハウスを一軒まるごと使った自主企画展であった。

1990年代以後、そういう動きのすべてがなくなったわけではないが、多くのアーティストが美術館へと回帰してしまった。その後、全国の四十七都道府県のすべてに公立美術館ができたことも、そうした回帰が起きる大きな要因になった。なかでも、かつて自主企画展を盛んにやっていた「もの派」の人たちが美術館やアートマーケットという制度のなかに回収されてしまったことを、私はとても残念に感じていた。そのことによって1980年代までは確実にあった、街の中でアート作品に出会う空間体験の面白さが消えてしまっていたように思えたのだ。

「人間と物質展」から受け継いだもの

そうはいっても、東京ビエンナーレでは「もの派」を始めとする現代美術の文脈とも連続性をもちつつ最新の動向を展開している。とくに1970年に中原佑介がコミッショナーとして企画した、第十回日本国際美術展（通称・東京ビエンナーレ）との連続性は強く意識した。

このときのテーマは「人間と物質」であった。日本からは「もの派」的な志向性の強いアーティスト、海外からは「ミニマリズム」の作家や、イタリアで「アルテ・ポーヴェラ（貧しい芸術）」と呼ばれていた流れの作家が参加した。大阪で万国博覧会が開催されたこの年、全世界的にも歴史の流れが「物質＝モノ」に向かって動いていくなかで、人間と物質の関係を根底から問い直した「人間と物質」展はきわめて重要な展覧会だった。このときにテーマとして掲げられた「人間とはなにか」「物質とはなにか」という問いを、私たちが2021年に行う東京ビエンナーレは文脈として共有している。

そのことを示すため、1970年にも参加したドイツの作家ハンス・ハーケに、当時の作品をオファーした。彼の作品〈Wide White Flow〉は、白い布の一辺だけが壁に固定されていて、その下に扇風機が仕込まれている。風によって空気の流れが生まれ、その布が波のように揺らぎ続けている。風が布を通じて可視化されている――ただそれだけの原理的なシステムを知覚させるコンセプチュアルなものだ【1】。彼が「人間と物質」展に出した〈サーキュレーション〉というもう一つの作品も、細いチューブが1本から2本、3本とどんどん血管のように伸びていき、最後はその枝葉が縮んで1本になり、水がそのなかをぐるぐるとまわっていくというシステムとプロセスが可視化されるコンセプチュアルアート作品であった。残念ながらコロナの影響でハンス・ハーケの展示は今回の東京ビエンナーレでは実現できなかったが、次回再チャレンジしたいと考えている。

日本から「人間と物質」展に参加したアーティストたちの表現は、コンクリートむき出しの建物がどんどん出来ていく高度成長期という時代に向き合い、その時代に作品そのものによって触れようとしていた。私自身はこの「人間と物質」展を見ていないが、この展覧会に関わったアーティストたちの考え方に触れ、背中を見て育ったという意識が強い。1970年の「人間と物質」展の動きは、バブル経済の時代を経て、私たちの世代が活動を開始した1990年代まで、「自主企画展」という地下水脈でつながっている。

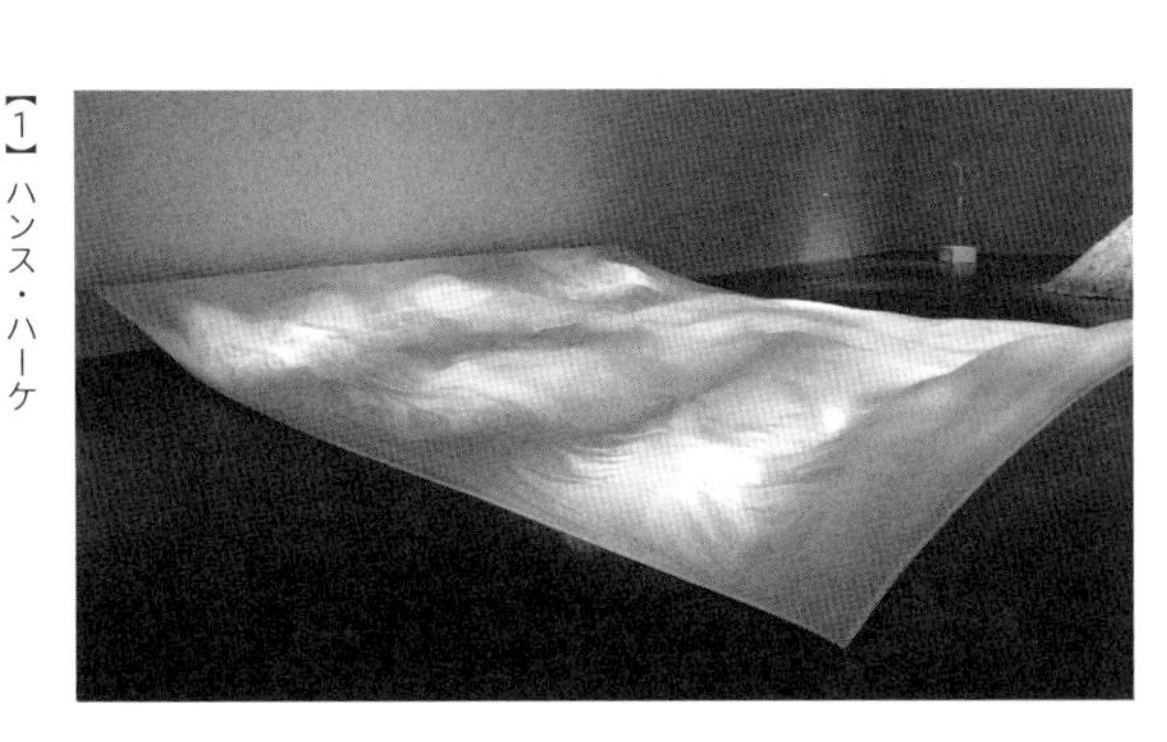
【1】ハンス・ハーケ
〈Wide White Flow〉

街との関係の中からしか生まれないアート

東京ビエンナーレのために様々な場所の使用許諾を得ていく過程で、よくわかったことがある。こちらから場所を貸してほしいと言われるまで、その場所を所有する人や企業は、そこが空間資源として魅力的な価値を持っていることに気づいていないのだ。たとえば鶯谷のある駐輪場の場合も、素晴らしい地下空間であるにもかかわらず、ふだんは使用されていなかった。建築には用途制限があり自由に使いにくいため、いかにその空間が美しく魅力的だとしても、その空間の持つ多様な姿をイメージできないからだろう。

いまはリノベーションブームで利活用の空間が増えてきているが、まだまだその使い方は一辺倒だ。東京の基層文化が生み出した魅力的な空間資源の多くが、活用されないまま眠っている。活用されない理由は、所有者がその魅力に気づいていないのと、法規上使用目的が規定されていて、その枠からはみ出せないからである。また気づけない理由は、アートのジャンルと同様、街の中にある場所がカテゴライズされすぎているからだ。学校は学校、企業は企業としてしか、人の目に映っていない。学校が展示会場になっていいし、企業のオフィスが公演会場になってもいい。空間にたいする視野を広げ、本来の用途以外の使用イメージを想像するような見方を、人はあまりにもしなさすぎる。

その意味でも東京ビエンナーレは、東京の空間資源をアートプロジェクトとコラボレーションするために、未開の地を開拓するようにして、空間所有者を探し交渉することを重視している。今後の東京ビエンナーレの展開のためにもリサーチを続けているが、アーティストの思い描く表現内容が会場イメージと合わなかったり、原状復帰できる使用方法でなかったりと、会場交渉は簡単ではない。

世間からは、アーティストとは空間を好き勝手につかって汚したり、芸術を「爆発」させたりする、どこか得体のしれない人種と思われている。「ベレー帽をかぶり、汚れた服を着たアーティスト」という像がアップデートされず、「ジーンズ姿でMacBookにプログラムを書き込むアーティスト」のような像が社会から認知されていないのだ。「街をキャンバスに」という言い方もあるが、いまのアートはキャンバスには描かれない。街とアート界の間には、まだまだ深い溝がある。

私は東京ビエンナーレの全体を、広い視点からキュレーションしている。個々のプロジェクトに関してはなるべく自由度をもたせ、これはいい、これはだめといった個別の評価はしないことにしている。そのかわりにアーティスト自身がプロジェクトを自分ごととして判断し、しっかりとしたプロジェクトの実現意識をもっているかどうかを重視し、個々のプロジェクトがどのように街に機能していくのかを考えている。作家自身の内省的な文脈だけで面白い、面白くないといくら言っても、街の中で成立する作品になるかどうかという本質的な問いにはたどり着けない。町会や地域企業の人たちに対して失礼な考え方、進め方になっていないか。アート界の常識が社会の非常識になっていないか。そうしたコンプライアンス・チェックも含め、ディレクションするようにしている。寛容性と批評性が共存できるように、忖度ではないかたちでの議論と理解を促しているのだ。

ところで東京ビエンナーレの特徴として、市民委員会とエリアディレクターの存在がある。市民委員会は事業全体の方向性、経済性、運営状況等をチェックしていく人たちで、市民主体の東京ビエンナーレの中核をなす。エリアディレクターは地域住人と企業それぞれの立場から、プロジェクトを展開するときの注意点や企画立案にたいして助言する役割の人たちで、それぞれのエリアでプロジェクトを展開していく際に御意見番としてしっかり見守っていただいている。

街づくりの視点から言うと、企画の初期から予算に沿って具体的な案件を共同制作してくれるパートナー的役割を、エリアディレクターの方々には担っていただいている。ゼロからアートプロジェクトを形にするまではエリア・マネジメント的な視点をもつ人の存在が不可欠であり、そうした人たちがどのように関係してくれるかがプロジェクトの完成度を大きく左右する。

東京ビエンナーレの出展作家には、ゼロから会場、予算、制作チーム、地域関係までをつくれるアーティストはなかなかいない。アート界の中だけの制作、発表構造でキュレーターから来る仕事をこなしていれば、予算や会場、諸調整は美術館やギャラリー側がやってくれる慣習があり、それがアートの仕事だと、多くのアーティストが思いこんでしまっているからかもしれない。

だが街の中でダイレクトに作品、アートプロジェクトを作っていくことを前提とすると、好き嫌いや権利や立場を言う前に、プロジェクトを実現させるために必要なことを一つひとつ行い、丁寧に解決していくしかない。その意味でもプロジェクトを実現していく過程では、アーティストのなかで都市との関係が必然的に生まれる。使用する物件の大家さんや地域住民、その場所で出会うことが想定される人たち、プロジェクトをサポートしてくれる人たちとの関係などだ。

彼らとの関係性のなかで相互に信頼感が生まれ、作家の側がもつ問題意識が街の人たちとも共有され、一緒にやろうという意識が芽生えていかないかぎり、プロジェクトを実現することはできない。街とアーティストとのそうした創発する関係が東京ビエンナーレの基盤を確かなものにしていく。

「R」ではなく「Z」から都市を感じる

東京ビエンナーレでは会場となるエリア内の様々な場所で作品の制作・展示が行われるが、

その多くの場所は私が一つひとつ歩いてみつけ交渉して決めていった。普段から街を歩いていると、いろんな物件がこちらの意識にどんどん入ってくる。街を歩いていることがそのままリサーチとなるためか、都市の創造性を感じ取ることが身体に染みついている。ふと「これはなんだろう?」と、そのたたずまいが気になる空間に出会うと必ず足を止め、撮影をして意識に刻むのだ。

今回の東京ビエンナーレでも、対象エリアを決め、会場となったら面白くなるであろう空間を徹底的にリサーチした。そこから候補をしぼり、借りるための交渉を計画していった。

こうした私の感覚は、2000年代に馬場正尊さんたちが始めた東京R不動産という活動とは、ある意味で対極にあるものかもしれない。リノベーションの重要性は私も理解しているが、自分自身が都市と関わるときのスタンスはこれとはかなり異なっている。シンプルに言うと「R」ではなく「Z」なのだ。Zはアルファベットの最後の文字であり、かなり強引だが「絶望」の頭文字でもある。Zの次はAとなることから「絶望」であるが同時に「愛」ある存在ともいえる。2015年に個展をしたときのタイトルは、「明るい絶望」としたが、「明るさ」はAといえる。つまり、ZとはAを含んでのZであることを強調しておきたい。これもかなり強引であるが、あくまで概念としての意味づけである。R不動産に対抗してZ不動産といってもいいが、建築だけのことではないので「Z学」としてこの考え方や存在を今後も研究していきたい。

では、RとZとではどこが違うのか？　リノベーションができる物件は、そもそもその時点で売り買いできるだけの市場価値をもっている。だが私が関心をもつような物件や対象は、その時点でもう絶対に商品にはならないもの、この先は取り壊ししかないようなものばかりなのだ。

ところが不思議なことに、都市の新陳代謝という視点で考えると、取り壊される直前の段階にある建物は——とくに最後の一、二年になると——絶望感、言い換えるなら〈純粋〉感がギュッと圧縮されてくる。

登記簿の所有者が不明で朽ちていくだけの建築や、どんな状態でもなくなることなく路肩に存在している石や標識などにもZを感じることができる。赤瀬川原平さんの路上観察や考現学の先にあるZ学はまだまだ発芽段階ではあるが、経済学や都市計画等多くの学術的領域につながる論点だと私は考えている。

東京ビエンナーレでのアートプロジェクトの場として私が選んだ優美堂という額縁店【2】も、かなりZ度が高い物件だ。優美堂のある神田地域には、大手町のオフィス街から大波が押し寄せるように再開発が進んできている。個人商店はもはや存続しえず、法人の街、企業の経済成長のための街と化しているのである。そうした中に残された優美堂は戦後まもなくの木造建築で、地下には防空壕もある。富士山の絵が特徴の看板建築としても有名だが、閉店して久しい優美堂の看板はボロボロに剝がれ落ち、痛々しい状態になっていた。

周囲をビルに囲まれそのスキマにひっそりと佇むその風景は、かなりZ的である。言いかえるならば濃厚な絶望と愛が同時に満ちているのだ。もちろん絶望とは、気持ちが暗くなるとか、辛くなるという意味ではない。とても強いエネルギーが宿っていて、知覚することによって表現意欲や創造性が喚起されるということだ。強い愛が圧縮しているため、その空間性や存在にふれると磁力のようなエネルギーに引きつけられて、見る側の知覚の扉が開きだすのだ。

Z度の構成要素は、先に触れた「純粋」×「切実」×「逸脱」という三つの視点で考えると理解しやすいかもしれない。優美堂の場合、戦後すぐに建った額縁店が周辺の再開発とは無縁に孤立し存在している状態は、その「純粋」性が研ぎ澄まされているといえる。

店主である三澤のお婆さんは、90歳を過ぎて倒れるまで孤軍奮闘で優美堂を開けていた。優美堂と共に生きるこの「切実」さは、町会などで三澤さんを知る方々にしっかりと伝わっていた。三澤さんの強い生き方に、皆が敬意を払っていたのである。

そして「逸脱」は、なんと言っても富士山の看板建築である。看板が外壁全体となりそれが富士山の形を模している。そんな大胆なデザインは他に類例がない。電話番号からくる「ニクイホドヤサシイ」というキャッチコピーのアイロニカルなイメージもプラスされて、優美堂という存在はとことん「逸脱」している。Z学を「純粋」×「切実」×「逸脱」の指標をもって捉えるということは、「芸術とは何か」を考えることにも重なるのだ。

【2】優美堂

私は不動産運がとてもよく、Z的物件にいつも助けられている。都心で天井4m以上、30坪、家賃は駐車場一台分くらいという無理難題な条件を自分に突きつけて探しだすと、偶然にもその条件にあう物件との出会いが生まれる。Z的物件に対する嗅覚がどうやら私にはあるようだ。親しくしている不動産屋も、Z的ものがみつかるとすぐに声をかけてくれる。東京ビエンナーレで使用する物件も、そうやって一つひとつ見つけていった。

もちろんビエンナーレの会場のすべてがZ物件というわけではない。だがそうした嗅覚をベースにして見ていくと、東京という街の姿がまったく違うものとして立ち現れてくるのだ。いま東京という都市は、タワーマンションの乱立に象徴されるようにどんどん高層化しているが、その一方で低層部や足元のグランドレベルに対する位置付けも変化している。

高層化して賃料を上げ、地価の高さだけ稼がないと経済が回らない仕組みになっているなかで、都心でも優美堂のように一般的な坪単価を設定できないZ的な物件もある。その両方を対象としてアートプロジェクトが展開しているのが私たちのスタンスだと思っている。

大手不動産の企業も東京ビエンナーレにスポンサーとして入っている。街に再開発が入ると地域や場所の状況は大きく変わってしまうが、もはや短期的な売上や、右肩上がりの経済を前提にして地価を上げていく時代ではないことは充分理解している。これからは社会関係資本をきちんとつくるような街づくりをすべきであり、その街がもつ文化的コードをしっかりと読み取り、その基層文化に対するリスペクトが求められている。

その意味でも都市の新陳代謝の在り方をZ学的視点からどのように考えていくのか、スクラップ&ビルドだけではないキャッチ&リリースできる社会構造を描き出していく必要がある。東京ビエンナーレの展開においても、このZ学を重要な都市批評の視点として考えていきたい。

場への接続——「天馬船プロジェクト」

アートプロジェクトを展開していく上での最大の課題は、制作資金と会場交渉、そして地域交渉である。資金の話は別としても、会場と地域との交渉は関係させて考えていく必要がある。なぜなら一つの空間はその内部だけで成立しているのではなく、そのビルの所有者、テナント、町会、近隣企業、街づくり団体、行政などと複雑に関係しているからである。

アートプロジェクトを企画することはできても、なかなかこうした場所に接続することができるアーティストは少ない。東京ビエンナーレでは「ソーシャルダイブ」という公募プログラムを行ったが、応募してきたどのプロジェクトにも、社会と接続するアイディアはあっても、それを実現する方法と実践力が足りなかった。本来はアーティスト自身でリサーチすべき内容をビエンナーレの事務局に依存し、アーティストは交渉などしなくてもよい、とでもいうような態度をとる人もいた。いずれにしても、人と人との複雑な関係に一歩踏み込み、深く入り込んで創造していくという姿勢がきわめて弱い。この点は、先にも書いたが日本のアートシーンの構造的問題が大きいと思う。

そこで、場所の接続と資金集めに関する先行事例として「天馬船プロジェクト」を紹介したい。このプロジェクトのきっかけは、2004年頃に神田地域の地元企業の方から、「川をテーマになにか企画できないか」との相談を受けたことだった。この地域を流れる神田川をきれいするため、この川に注目を集めて地域一帯で取り組めるものとして、私は小さな船によるレースを構想した。しかし、実現するための地域との関係づくりの方策がこのときはまったく見えず、構想はしばらくのあいだ眠ることになった。

この構想が具体化したのは、富山県氷見市で私たちが行った〈ヒミング〉というアートプロジェクトでのことだ。これはベネチア・ビエンナーレから戻った後、私が地域にしっかり入って行った代表的なプロジェクトの一つで、このときに河川を使った船のレースを氷見で行うことをヒミングのメンバーに提案した。これをもとに計画したのが「天馬船プロジェクト」である。天馬船（伝馬船）とは、かつて日本の水運で大きな役割を果たした和船すなわち木の船だ。この天馬船を制作するという目的で資金を集めるプロジェクトを設計し、実際に川に船を浮かべてレースを行った。

天馬船レースは、具体的には次のように実施した。まず氷見の森間伐材をつかった小さな木の船（ミニ天馬船）を1000艘つくり、1艘あたり1000円のドネーションを集めた。

自分のミニ天馬船をもつと、レースに参加権が得られる。上流から下流に一斉に流し、ゴールにいち早くたどり着いた船のオーナーに地元特産品が与えられる、というものだった【3】。

1000艘のミニ天馬船は、地元森林組合、ボランティアの地元大工さん、富山大学の学生が協力して制作した。集まった約100万円の寄付金のうち半分は運営費に充て、残り半分を天馬船の制作費とした。年1回で3回行ったところで、ミニチュアではない本物の天馬船が2艘、完成することとなった。これについては地元に船大工の人がいたことがとても大きい。木造和船をつくる技術も映像で記録を撮り保存した。

氷見での河川レースは、漁業組合、行政、近隣住民の協力関係を築くことでようやく実現できたが、神田川ではこの天馬船レースのスケールが一段階上がり、1万艘を制作して聖橋から万世橋まで流すことになった。1万艘のミニ天馬船はさいわい、鳥取県智頭町の間伐材で制作していただけることとなった。

神田川でこのプロジェクトを実施するにあたっては、許諾関係や責任の所在と安全性の理解の面で次の機関に相談した。千代田区まちづくり部、千代田区清掃事務所、文京区みどり公園課、東京都第1建設局管理担当、東京都建設局河川部計画課／河川利用促進担当、屋形船連合組合、水上警察、消防艇、水辺関係NPO等である。

これらの機関にアポイントをとり、プロジェクトの説明をするだけでもかなりの時間と労力がかかった。プロジェクトの制作にあたっては実行委員会をつくり、専門的知見をもち、

【3】天馬船プロジェクト

このプロジェクトの意義も理解してくれる市民有志が行った。河川は道路と異なり関係団体のつながりがスムーズに調整できるような環境ではなく、立場によって考えがかなり違う。天馬船プロジェクトのような使い方の先行事例もなく、初めての案件に対して各機関は戸惑いながらの調整だった。政治的にも、千代田区長さんを初めとして各党派を超えた協力関係を築き、丁寧に進めていくことが必須であった。

アートプロジェクトの制作では、地域における行政、諸団体とのこうした調整がもっとも難易度が高い。実現するためのわかりやすい見取り図のようなものはなく、手探りで関係構築をしていく交渉力と熱意が不可欠なのだ。「川に小さな木の船を流す」という遊びのような構想でさえ、実現するにはその場所との接続を丁寧に開拓しながら行う必要がある。

アートという華やかなイメージに反して地味な作業だが、社会的な活動としてのルールを守りながら、新しい施策にチャレンジするビジョンを共有し、仲間とともに逸脱を促す戦略を立てるというのが唯一の攻略方法である。アートプロジェクトの成功には、地域の関係者を探し、相談する順番や、最終的に理解していただくまでのプロセスがとても重要なのだ（これについても第2部で詳しく述べる）。「ソーシャルにダイブする」とは、地域に新たな社会関係資本を構築することにほかならない。

アートプロジェクトと「地域アート」

「東京ビエンナーレをつくる」と私が言うと、乱立する芸術祭のあり方を批判的に見る人は、「また芸術祭ができるの?」と口をそろえて言った。あるいは「地域アート」ですかと、そのような芸術性のあり方を貶めるような言い方をされることもあったが、エッジの効いたハイアートしか芸術のあり方として認めないような、乱暴なくくり方だと思った。

そもそもなぜ「地域」と「アート」をつなげて特別な概念をつくらなくてはならないのか。この言葉は、「障害者」と「アート」を無理に結びつけた「障害者アート」と同様、強引にカテゴライズした差別的な構造を持っていると私は思う。カッセルのドクメンタも、ミュンスターの彫刻プロジェクトさえも観光産業や街づくりの餌食になっているという「地域アート」という言葉は、論点がずれた批評言語となっている。

そこでアートプロジェクトの多様なあり方を捉えるために、「専門性と市民性」「持続性と即応性」を座標軸に設定して考える視座を提案したい(図4参照)。「専門性」と「持続性」が強いところには各地の国際芸術祭やアートフェアなどが含まれ、市民性と即応性が強いところには震災復興活動や地域コミュニティのためのイベントなど短期的なものが多くなる。大切なのはこの座標軸のどこのポイントにもアーティストが関係しており、アートプロジェクトが存在しているということだ。ここからはアートで、ここからは違うというハッキリと

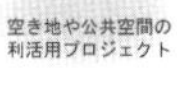
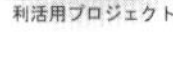
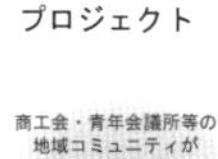

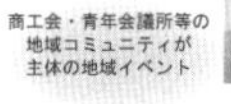

図４　アートプロジェクト分布図

した区別やカテゴライズは存在しない。座標軸はあくまでもグラデーションであり、活動の内容によって対象や立ち位置が変わっていくだけである。

アーティストたちがオルタナティブなアートスペースをつくることと、市民活動として子供たちのための遊び場をつくることは、どちらもアートとして地域で成立していると言える。自費で行うことと、行政主導で行うことでは社会的責任や運営方法において違いはあったとしても、その成り立ちにアートであるかないかの区別はない。東京ビエンナーレはこの座標軸のどのポイントにある表現の多様性をも寛容に受けとめ、忖度しない批評性を発言できるようにと考えている。その意味で日本においてアートは、まだ始まったばかりなのだ。

公立美術館に予算が付きにくくなり、観光や街づくりの予算と抱き合わせで計上されるようになってから、かえってどんな地域でも芸術祭が開催できるようになった。このことでアート界の既存の構造が変化しはじめ、アートに関してどんなに「未開」だった場所でも、いまやアート活動を始めることができるようになった。お金の使い方やアーティストの表現意識と地域社会がお互いに慣れていない状況など、課題も見えてきているが、このことは日本のアート界がいまだ過渡期であり、次のステージを自らの価値観で模索し始めたといえるのではないかと私は考えている。少なくとも欧米から「お宝」を買ってきて美術館をつくってきた時代より、一歩も二歩も先に進んでいる。

この章の冒頭でも述べたが、日本のアート界はその世界の内だけで自律できるような構造になっていない。産業界など社会の多様なプレイヤーとも協働し、地域コミュニティにも深く入り込むことのできるような構造へと進化しなくてはならない。

東京ビエンナーレは多様なアートプロジェクトを実装することで、過渡期としての日本のアート界を社会に拓く役割を果たしていくつもりである。

見なれぬ景色へ

ここまで述べてきたような考えのもとで「東京ビエンナーレ２０２０」の準備を進めていた矢先、開幕を半年後に控えた２０２０年1月頃から日本でも新型コロナウイルスの感染症が広まりはじめた。この感染症の蔓延により、私たちは自分が〈いま・ここに生きていること〉をどう考えるかという人類史的な大きな問いをつきつけられたように思う。

地球環境やサスティナビリティの問題に関しては、世界的にＳＤＧｓ（持続可能な開発目標）という指標が定められている。しかし、それだけで十分ではない。自然と人間とのバランスが崩れつつあるいま、両者の間ではどのような新たな関係が生まれるべきか、さらには人間が有機体であることの意義とはなにか。こうしたことへの興味が自分のなかでも強まってきている。

新型コロナがきっかけで、人々がそうした問題に対して発言しやすくなっている面もあるのかもしれない。あるスポンサーに東京ビエンナーレの賛助会員になっていただくお願いをしていたときのことだ。そこは群馬県にある産廃処理企業で、環境に対する意識も高かった。彼らは、太陽光パネルには廃棄の際に大きな問題があるという。自然に還らない素材で出来ているソーラーパネルは、廃棄時にまるごと埋めるしかない。用いられている炭素繊維のような新素材も、環境に大きな負荷をかけている。また太陽光発電は化石燃料に比べ、環境への負荷が少ないと喧伝されているが必ずしもそうではない。環境の問題を考えるならば、もっと深く長いスパンで考えるべきだというのだ。

このことはアーツ千代田 ３３３１以前から様々なプロジェクトをやりながら私が考えてきた問題ともつながる。新型コロナウイルス感染症の問題を東京ビエンナーレのなかで考えるということは、環境全体に対して、さらには地球に対して私たちがどういう態度を示すのかという問いでもある。そこまでいかなくとも、「東京」という都市の単位で考えたときに環境に対して考え、どのようなアクションを起こすのかということにもつながっていく。

東京ビエンナーレでは、「アート」というフレームを「街」というフレームに置き換えていく。都市計画的なマクロなものから、地域コミュニティのようなミクロなものまで、すべての物ごとを関係の対象としていく。当然、参加アーティストの生き方も、そこに複雑に関係してくる。参加アーティストは特定の場所でプロジェクトを行うが、東京という都市の環境的な側面や、都市の成り立ちに対する大きな〈問い〉を生み出せない限り、答えを導くことはできないだろう。

東京ビエンナーレのテーマとして、小池一子さんの発案で「見なれぬ景色へ」というメッセージが作られた。2020年初頭である。コロナのことなどまったく予見できていなかった時期だ。

「東京の街の中で何かが起こること、それを起こすのはアートだ、ということを告知するキャッチ・フレーズが「見なれぬ景色へ」です。

すでに存在している都市の街並みに思わぬ仕掛けを突きつけて、あ、この景色の変化は何だ？　と思わせるのはアーティストの仕事。また意識もせずになじんできた通り道に違和感を感じたら、それがアートの仕業だったということも起きるでしょう。

2020年の秋はコロナが見せる景色も共存します。表現者として、また観客、市民としてどんな方角へ向かうのかが問われています。」

その後、このテーマが示すように街から人がいなくなり、文字通り「見なれぬ景色へ」と社会状況が一変した。緊急事態宣言が何度もくり返され、地球の悲鳴とともに経済活動、文化活動の歯車が狂い出している。そうしたなかで東京ビエンナーレは開催される。

「見なれぬ」という非日常を示唆する視点に、自らが一歩踏み込む行動力を誘引する「景色へ」を組み合わせた小池さんのこのメッセージは、コロナ禍のなかで開催する東京ビエンナーレのあり方を見事に表現している。

本書のテキストは東京ビエンナーレの開催前に執筆したため、アーティストたちの作り出したアートプロジェクトがどのような展開をしたのかを見届けることはできなかった。

あなたは「見なれぬ景色へ」と向かう意識によって、どんな知覚を得ることができただろうか。この本がその一助になっていることを願いたい。

第2章 アートプロジェクト小史

アート × 産業 × コミュニティ

「床屋マーク toki&kobugi」
中村と村上展、大阪

「No parking」
THE GINBURART、東京

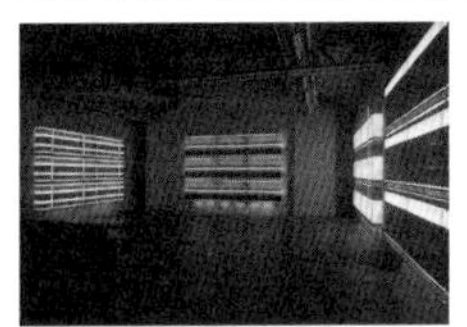
CVS project
SCAI THE BATHHOUSE、東京

美術と教育プロジェクト
眠れぬ森の美術展、東京

Powwow

Powwow は北米インディアンの集会を倣ったトークイベントシリーズ。1998 年から 2007 年に 41 回開催。

Powwow28

スキマプロジェクト

00(1999)
01(2000)
02(2001)

東京ラビットパラダイス
(2001〜2006)

- Tokyo/Life(イギリス、ロンドン)
- イタリア サンタ・マルゲリータ広場
- NEO-TOKYO 展(オーストラリア、シドニー)
- 「Batofar...seeking Tokyo」(フランス、パリ)
- Careof Milano(イタリア、ミラノ)
- ACC ギャラリー(ドイツ・ワイマール)
- Busan Yachting Center, and Capital region exhibition hall(韓国、釜山)

ヒミング (2004〜)

氷見クリック / 富山県氷見市

天馬船プロジェクト(2006〜)

サスティナブルアートプロジェクト　ヒミング(2006〜)

0/DATE (2007〜)

ゼロダテ / 東京展(2007、2008)
KANDADA、東京
ゼロダテ美術展 秋田県大館市(2007〜)

アジアリサーチプロジェクト(2008〜)

わわプロジェクト(2011〜)

「つくることが生きること」
東日本大震災復興支援プロジェクト
光州　：2011 年 9 月
ソウル：2012 年 2 月
台　北：2012 年 3 月
東　京：2012 年 3 月
新　潟：2012 年 11 月
神　戸：2013 年 1 月
東　京：2013 年 3 月

光州デザインビエンナーレ

3.11 映画祭(2014〜2017)
第 1 回　震災に関連する映画 32 作品、
第 2 回　5 年目の3.11。私たちは何を思う。
第 3 回　えらべ未来
第 4 回　見えないものを見る力

Move Arts Japan(2011〜)

アーティストインレジデンスポータルサイト

AIR3331

アーティストインレジデンス事業

アーツプロジェクトスクール @3331

第一期(2017.1〜3)
第二期(2017.8〜)

アーツライティングスクール(2019〜)

TRANS ARTS TOKYO
(2012〜2017)

超えろ! (2012)
一点突破、全面展開。(2013)
神田リビングパーク(2014)
むすんで、ひらいて、かんだ、(2015)
UP TOKYO(2016)
WHAT'S UP TOKYO(2017)

見なれぬ景色へ - 純粋 x 切実 x 逸脱 -

	拠　点	主なアートプロジェクト
1992	ソウルから東京へ	中村と村上展 ソウル/東京/大阪
1993		ザ・ギンブラート 銀座全域、東京
1994		新宿少年アート 新宿歌舞伎町全域、東京
1995		チェンマイ・ソーシャル・インスタレーション
1996		CVS project（コンビニエンスストアーの CI を使った作品）
1997	コマンド N 開設（犬塚ビル） (1997.9〜) 台東区上野 1-2-3 犬塚ビル B1F	美術と教育プロジェクト commandN (1997〜
1998		QSC+mV project （マクドナルド社の CI を使った作品）
1999		秋葉原 TV (1999,2000,2002)
2000	コマンド N 事務所 （街づくりハウス“アキバ”） (2000.2〜)千代田区外神田 1-7-1	
2001		
2002		第49回ヴェニス・ビエンナーレ 「ファースト&スロウ」
2003		湯島もみじ
2004		nIALL プロジェクト
2005	KANDADA (2005〜2009) 千代田区神田錦町 3-9 精興社 1F	メタユニット M1 プロジェクト プロジェクトスペース KANDADA (2005〜2009)
2006		project collective01~28 『ダダをこねる』
2007		
2008		
2009		
2010	アーツ千代田 3331 開館 (2010.3〜)	3331 Arts Chiyoda (2010〜)
2011		ポコラート全国公募展
2012		3331 Art Fair（以後毎年開催）
2013	KANDADA 3331 (2013〜2018) 千代田神田錦町 2-1	明後日朝顔プロジェクト（日比野克彦）
2014		かえっこ（藤浩志）
2015		千代田芸術祭
2016		中村政人個展「明るい絶望」 神田っ子 ポートレイトプロジェクト
2017	AIR 3331 岩本町 レジデンス & スタジオ (2017〜)	3331 夏のこども芸術学校
2018		東京ビエンナーレ (2018〜)
2019		東京ビエンナーレ構想展 優美堂再生プロジェクト (2020〜)
2020		東京ビエンナーレ計画展
2021	優美堂 (2021.7〜)千代田区神田小川町 2-4	第一回 東京ビエンナーレ 2020/2021

すべてはここからはじまった
『中村と村上』展（1992年　ソウル、東京、大阪）

1989年に東京藝術大学大学院を卒業した後、私は大韓民国政府招待奨学生としてソウルにある弘益大学大学院洋画科に1992年まで留学した。

留学当初から気になっていたのが、初めて会った人に名前を言うと、なぜか皆がクスクスと笑うことだった。どうも高確率で「あっ、ナカムラさん、あのナカムラですか？」と内心思われているような表情をする。

韓国人の友人に聞くと、「ナカムラ」は日帝時代（1910年の韓国併合から1945年の日本敗戦までの期間）の日本人巡査のイメージが強いからかもしれない、と言われる。そこで現地でアンケートを取ってみた【1】。小林、木村、佐藤、山本、中村、村上……と15種類の名字から、「最も不快な気分を感じる名字に丸をつけてください。また、その具体的な理由を述べて下さい」という質問をハングルで、20〜30代を中心とする68名にしてみたのだ。その結果は第一位が中村で56パーセント、第二位が村上で44パーセントの人が「不快に思う」と答えた。ちなみに田中が39パーセント、山本が38パーセントでそれぞれ第三位と第四位だった（伊藤をあえて選択肢から外したのは、伊藤博文の悪いイメージがあまりにも強いからである）。

多くの人が、映画やテレビドラマ、小説、コメディなどで日帝時代の悪い巡査役の名前が「ナカムラ」だったことを理由に挙げていた。つまり中村政人の「ナカムラ」という名字は、メディアの影響により悪の日本人のイメージを韓国人に抱かせていたのだ。実体としての中村政人が悪かどうかは関係なく、もうひとつの「ナカムラ」が存在していたのである。

メディアの伝え方によって実体とその意味はズレていく。そもそも記号とは、恣意的なものである。リンゴの呼び名が（apple や pomme など）国によって異なるように、実体の存在とそれを表す意味や名称は、場所や時代によって当然のように変化していく。インプットが同じでもアウトプットは途中のプロセスによって異なるのである。

ところでこのとき二番目に「不快に思う」という答えが多かったのは先述のとおり「ムラカミ」だった。そこで友人である村上隆に、この情報のズレをテーマに展覧会をしたいと提案したところ、面白いからやろうという話に展開した。そうやって実現したのがソウルでの『中村と村上』展である。

韓国語を読むことも話すこともまったくできなかった私が、留学して3年後には韓国で展覧会を企画できるまでになった。いつの間にか大きい声で韓国語を話し、誰とでも議論をするようになっていた。タクシーのアジョシ（おじさん）が反日感情をむきだしにして話しかけて来れば、日本製品がいかに韓国社会で使われているかを話した。悪い過去についてだけでなく、良い現在についても議論した。

留学中の3年間に経験したディープコリアコースで、観光や遊びで韓国にやってくる友人たちをもてなし、最後の頃はスタジオで日韓交流パーティを開くまでになっていた。常連客となった食堂ではアジュマ（おばさん）たちとも普通に世間話ができるようになり、いつの間にか私のまわりには、アーティストを中心とする小さなコミュニティが生まれていた。たった3年間でここまで自分が変わり、成長できたことが不思議でならなかった。

『中村と村上』展は当初、ソウル・東京の二カ所で開催することを企画した。ソウルの会場は「スペースＯＺＯＮＥ」というクラブ的カフェで、東京はＳＣＡＩのプロジェクトスペース「白石コンテンポラリーアートプロジェクトルーム」だった【2】。「ＯＺＯＮＥ」の展覧会では、チェ・ジョンファが働いていたインテリアデザイン事務所「Ａ４」が主催してくれた。作品を購入し、アーティストの旅費やパンフレットのデザインや印刷もサポートしてくれるなど、代表のチェ・ミギョンさんには、本当によくしてもらった。

日本側の企画は、原宿の東高現代美術館を運営し終えた直後のＳＣＡＩで働いていた小山登美夫さんに持ち込んだところ、彼の事務所と同じビルにあるマンションの一室を使ってできることになった。私にとっては美術界に本格デビューする企画展なので、それまで勉強し、準備してきた作品をおもいきり展開しようと意気込んだ。

この『中村と村上』展の噂はコアなアート関係者にたちまち広がり、ソウルでのオープニングには日本から小山登美夫、西原珉、中ザワヒデキ、小沢剛、会田誠、国持貴子などがやってきた。オープニングパフォーマンスは池宮中夫を筆頭に、在日韓国人の双子のバンドPLANET JUSE、韓国を代表する大衆音楽・ポンチャックの帝王【3】などが出演した。パゴダ公園で金髪白塗りの池宮中夫がパフォーマンスをした後【4】、チョンノの交差点で信号待ちをしているとき、突然小沢剛が池宮中夫の額にジグザグをした【5】。この瞬間を中ザワヒデキが、後にバカＣＧで作品化している（これはのちに中ザワの著書『現代美術史日本篇』改定版の表紙【6】となった）。

私は約30本の韓国製「床屋マーク」が、シャンデリアを逆にしたようなかたちに積み重ねられた作品を「ＯＺＯＮＥ」が入居するビルの屋上に設置した【7】。設置してまもな

5

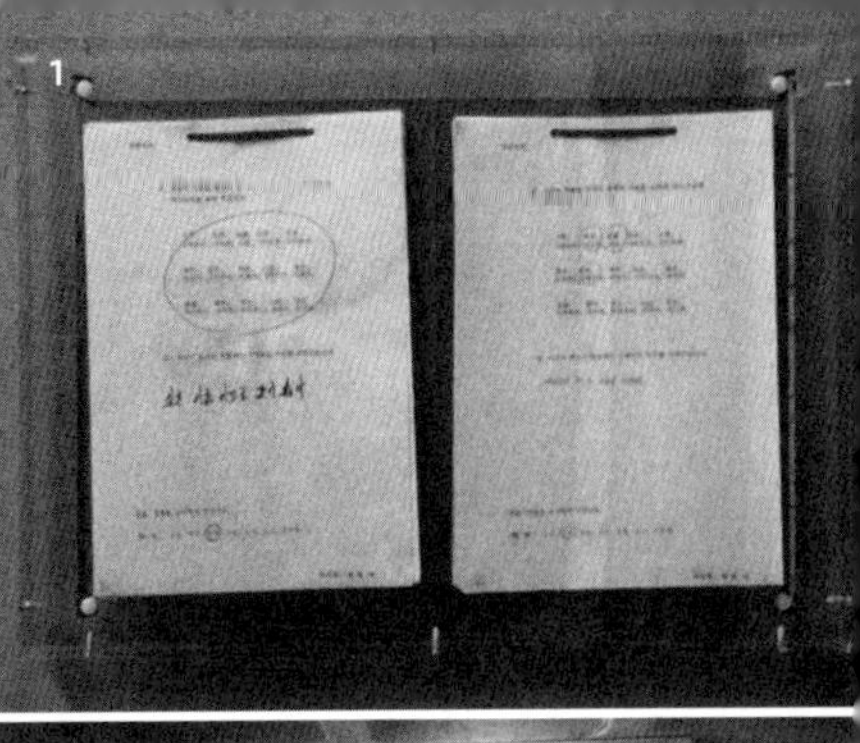
1

2

3

'92 3 24

6
現代美術史日本篇
1945-2014
中ザワヒデキ
改訂版 REVISED EDITION
日本語／English

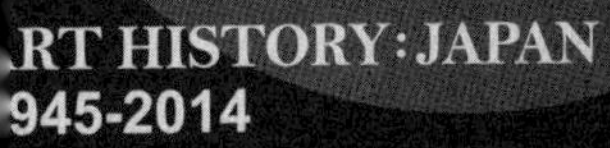
RT HISTORY：JAPAN
945-2014

7
SEGI STAR
세기보청기

4

く、「美観を損ねる」として行政当局から撤去指導が通達されたが、看板だらけのソウル市内の景観のなかで「美観」という言葉が出てきたのは不思議だった。床屋マークが1、2本あった程度では何も言われないが、30本が束になったことで「逸脱」に感じられたのだろう。

この展覧会のステートメントには、「『中村と村上』展は、この情報洪水の錯覚に陥っている私達の盲点を検索しようとする試みです」と書いた。乱立する看板が形成する景観のなかで、「美を意識する情報」を届けることができたと思う。

次の文章は『中村と村上』展の公式パンフレット【8】に掲載された、西原珉による論考の一節である。

ずたずたに断ち切られ、秘匿され、そしてその存在も確かには、知らされぬまま、暗黒のうちに抱かざるを得ない日本の美術史への絶望と、みごとな整合性をもって進行する西洋のコンテキストに従い（時にあまりに強引な解釈、またはとりかえしのつかない誤解を含んだ）膨大な輸入情報によって形成されてゆく日本の美術。中村政人と村上隆という二人のアーティストがたつ地点は、そこにある。しかも彼らは、そのはざまにいるのですらなく、そもそも始めから両者がすでに、分かちがたく入り交じった奇妙な混合物の上に存在している。

私たちは『中村と村上』展を通じて、西洋のコンテキストに回収されてしまわないような日本美術史における次のステージ、新たなアートの爆心地をつくろうとしていた。

ソウル、東京と勢いに乗った『中村と村上』展は、大阪へと向かった。ソウルで知り合った在日韓国人の高満津子さんから、大阪の鶴橋という街が面白いという話を聞いており、日本でありながら韓国色が濃厚なこの街で行いたいと、予算的根拠もなしに私から提案した。

鶴橋の街をリサーチするなかで、駅前のラブホテル「ホテルメタリアスクエア」を会場として使わせてもらう交渉がまとまり、一気に『中村と村上』の大阪展は熱気を帯びていった。この大阪展では池宮中夫のパフォーマンスがピークを迎えた。鶴橋の「逸脱」した食堂【9】で「ネーポン」というサッカリン入りの甘いジュースと出会った池宮は、その人工甘味料の刺激のように鶴橋駅前からラブホテルの会場までの空間を攪乱したのである【10】。

オープニングでは、ハイレッド・センターの「首都圏清掃整理促進運動」を再現して村上隆によるパフォーマンス『大阪ミキサー計画』【11】が行われた。このパフォーマンスを契機に小沢剛と村上隆、中村政人（後に中ザワヒデキ）の頭文字をとった「スモール・ビレッジ・センター（ＳＶＣ）」なる再現芸術のユニットが生まれた。ＳＶＣは銀座での『ザ・ギンブラート』で、ビニール傘をゆっくり開き、ゆっくり閉じるというかたちでクリスト＆ジャンヌ＝クロードの「アンブレラ・プロジェクト」を再現するパフォーマンス【12】を行ったのをはじめ、アートフェア会場での小杉武久の《楽器》【13】、小島信明のアメリカ国旗をかぶった彫刻をパフォーマンスで再現した【14】。

村上隆は道頓堀で「クラインジャンプ」の再現を行った。なぜか西原珉も屋上のプールで同じく飛び込みを行った【15】。そのほかにも、シンポジウムや天宮志狼によるＤＪイベント『開戦ナイト、トラ・トラ・トラ』【16】が開かれた。オーナーのご厚意で会場となったラブホテルの一部屋がスタッフ部屋になり、休憩やゲストが来た際の控え室としても別の一部屋が使われた。

この大阪展はSCAIの白石正美さん、小山登美夫さん、青井画廊の青井和子さんのバックアップがなければ実現しなかった。思い返せばその頃は生活費を得るためのアルバイトなどまったくせず、展覧会と制作に集中していた。大阪までの交通費や現地での食費などを、いったいどうやって払っていたのか疑問である。このときの勢いを陰で支えてくれた人たちがいたからこそ、私は思い切り暴れることができたように思う。現在でもプロジェクトを制作していくときに、アーティストをサポートしようという意識が強くあるのは、このときの経験が大きいからである。

「感染」を引き起こした『マラリアアートショウ』『2月1日祭』(1993年2月1日 原宿)

『中村と村上』大阪展の終了後、1992年から1993年へと年も変わるにつれ、私の制作意欲の勢いはさらに増していった。私の誕生日は2月1日なのだが、村上隆もなぜか同じ誕生日だった。そこで「同じ誕生日だ」というだけの理由で、『2月1日祭』というイベントを企画した【17】。私たち二名の他にも国持貴子さんや宇治野宗輝らが参画してくれて、『マラリアアートショウ』と銘打ったイベントを連続して行うこととなった。

8

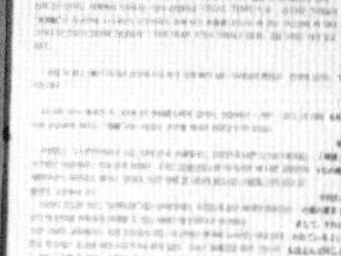

9

10

11

12

13

14

会場は、原宿の空き物件をセルフビルドで好き放題リノベーションしてつかった。私はその会場を黄色い光で染め、たくさんの「2月1日生まれの人」を集めるというパフォーマンス&写真作品を制作した。まだインターネットも携帯電話も一般には普及していない時代、「2月1日生まれの人」という共通点をもつ人を探すのに使える手段は口コミのみ。会った人にことごとく誕生日を聞いていくしかなかった。

それでも最終的に、5人の同じ誕生日の人が奇跡的に現れた。謝琳の特別ケーキが提供され、小沢剛が中西夏之の《洗濯バサミは攪拌行動を主張する》【18】を、中ザワヒデキが、同じく中西夏之の舞台美術《早稲田の赤い便器》をいつのまにか再現していた。この『2月1日祭』は基本的に「誕生パーティ」なので一日限りのイベントとして終了したが、その後に同会場では宇治野宗輝主催のイベント『デコラティブ』【19】が行われるなど、東京の刺激的なアートシーンが、まるでマラリアに感染したかのように急速に展開していった。

「絶対的肯定精神」に裏付けられた『ザ・ギンブラート』(1993年4月4日~18日 銀座)

ギンブラートは、行為の絶対的肯定精神を軸に企画された展覧会です。『だれがどこでなにをしてもいい』重要な点はここです。美術の教育をギリシャ彫刻の模写から始める事に慣れしたしんでいる私達は、この点ですら未だクリアーできていません。

複雑な美術理論や形式論は頭の中ではワールドワイドな地点の情報をとらえているとしても現実には、50～60年代のアーティスト達がした行動によって生まれた制度に現在もきつく縛られているのが現状です。社会と美術の関係は、都心への通勤時間に比例し、どんどんと離れてお互いの存在すら忘れかけてきているようです。アーティストが自発的に行い継承してきたことといえば、お金を払い、一次的に純粋空間らしき画廊を借りることでした。90年代の今となって、これは伝統というレベルに達しています。

なぜアーティストはこの社会で自律できないのでしょう。

そこで『ギンブラート』は、そのような問題が最も渦巻く銀座をそれぞれの個の中で再肯定、再構築するために、美術と言われてしまうその前の状態で見せるべく、ゲリラ的な情報とスピードで行われたのです。支持体は、歩行者天国であり、銀座全域が指定されました。結果はいわゆる美術の形式論だけでは解釈できない事態が起こりました。美術が美術となる前の状態、構造を構築するためのベクトルの方向づけは、アーティスト達の勇気ある行動の中に潜んでいたといえます。

なんでもありの状態をまず身をもって体験すること、このことが『ギンブラート』で行われたことです。また、それは、私達の美術を始めるうえでの必要不可欠なひとつのトレーニングであったともいえます。アーティストが社会にリンクする自発的な信念と責任を持ちえるための行動の提示が見え隠れしたはずです。このフリーペーパーは、その全記録であり、より多くの人にこの出来事を判断してもらうべく制作されました。

1993年12月

中村政人

このテキストは、1993年に行われた『ザ・ギンブラート』の記録誌【20】に書いたものである。その背景には、日本の美術界でアーティストが作品を発表していく際の制度的、慣習的な課題があった。具体的にはこういうことだ。日本ではアーティストが個展を開こうとする場合、三回目くらいまでは貸し画廊を自腹で借りて発表し、四回目くらいにようやく画廊側の企画として無料展示ができるようになる。その後は美術館のグループ展での招待展示にステップアップし、評論家やキュレーターの研究素材として作品が扱われるようになっていく。さらにうまく行けば国際美術展に出品するチャンスがもらえ、念願のコマーシャルギャラリーからも声がかかるようになる。

だがコマーシャルギャラリーで個展ができたとしても、作品はそう簡単に売れるわけでもなく、アーティストの生活はまったくもって安定しない。かといって貸し画廊での展示には戻れず、作品制作だけでは生活ができないゆえ、日本のアートシーンから逃れていわゆるアートワールドへ希望の路をつなぐため海外へ移住したりする。

1960年代の『読売アンデパンダン』展で赤瀬川原平さんたちがネオダダ旋風を巻き起こしたり、「モノ派」系のアーティストが難解な美術理論を語ったりしていた頃と比べても、アートの「あがり」の構造はいまも大きく変わってはいない。結局のところ、欧米の大コレクターなどの趣味性によってオークションでの価格がコントロールされ、アジアの変わった品種の作品は、せいぜいのところ珍しさで注目されるにすぎない。

日本の現代美術のシステムは、そのようなインターナショナルなルールを覚え、守るこ

18
15
19
16
NAKAMURA and MURAKAMI
Dec 4-13 1992
1.00-8.00p.m.
admission free
DEC 4 fri. OPENING RECEPTION
DEC 8 tue ONE NIGHT PARTY
DEC 13 sun. TALK
Shiro AMAMIYA
12.8. One Night Show
"TORA TORA TORA"
20
17
MALARIA art SHOW Vol.01
2月1日祭
21

とで同じゲームに参加できるというものでしかない。あたかも日米安全保障条約によって軍事的に守られているように、アートのシステムもまた、「あがり」の構造がすべて欧米に向いているのだ。私たちはそのシステムを理解したうえで、もうひとつの価値、もうひとつのアートシーンを瞬間的にでも生み出していくことを志向するべきではないだろうか。

そのためには、まずホワイトキューブから街に出て雑多な雑菌だらけの街の情報のすべてを受け止め、その経験のなかから、それらを全肯定する勇気を生み出すしかない。私は否定によってではなく、肯定を続けていくことでアートのシステムを変えていくことを、この『ザ・ギンブラート』を行った頃から考えていた。

『ザ・ギンブラート』では8人のアーティストが、まず銀座1丁目から8丁目までの縄張りを決めた。そのうえで誰がどこで何をするのか、全員が事前にプランを出して作戦を練った。いわゆるゲリラ戦ではあるが、情報誌『ぴあ』の巻頭カラーページでも予告するなど、宣戦布告の準備はきちんと整えた。

このときの1丁目担当は小沢剛だった。小沢はこの地域にある老舗の貸し画廊「なびす画廊」の前の木に、牛乳箱でできた《なすび画廊》を出品した【21】。当然「なびす画廊」にはこころよく思われない状況だったが、《なすび画廊》は『ザ・ギンブラート』以降も企画専門のギャラリーとして世界的に名前を売っていくことになる。

2丁目担当はピーター・ベラーズ。彼は銀座の貸し画廊の一週間のレンタル料金を、ラブホテルの休憩・宿泊料金の看板に見立てた作品を制作した【22】。英国紳士らしいブラックユーモアのある作品であった。

3丁目担当は村上隆。事前に告知していた《D.P.E》(訪問販売)という作品から急遽変更し、通行人に星形のプラカードを持ってもらい撮影するという、参加型の作品《なんでもない日、万歳！》を発表した【23】。いまこれらの写真は、どうなっているのだろうか？

4丁目担当は岩井成昭。電池式のリズムボックスをコインロッカーに数カ所設置するサウンドアートの作品だった【24】。コインロッカーの前を人が通るとどこからともなく、ズチャッズチャッズチャッと音が増幅され、しかもそれぞれの音がずれて聞こえてくるため、地下通路がざわめきだしたような空間へと変貌した。また岩井は既存の看板横に、盲人用の点字を美術作品のキャプションのように設置した【25】。この作品は数年間、ずっと撤去されずに残った。

5丁目担当のシン・ミョンウンは、小さな犬の彫刻を各所に設置した。またパフォーマンスとして電動式のおもちゃの犬も散歩させ、日頃は犬を連れて入ることのできないデパートやカフェなどに堂々と入って行き〝銀ブラ〟を楽しんだ【26】。

6丁目担当は西原珉で、小説をチョークで路上に書いていくパフォーマンス《芥川賞をねらえ！》を行った。ちなみにチョークで描く行為そのものは、駐車取締などで警官も路上に印を残したりするので違法ではない。

7丁目担当の飯田啓子は、ビルを宅急便で送るというコンセプチュアルな作品を制作した【27】。宅急便の送り状に自分の住所を書き、あちこちに貼りつけ、不動産を観念的に動かすことで、地価が日本一高額な銀座という街の付加価値を批評したのである。

そして8丁目は私が担当した。韓国留学時代から観察してきた駐車禁止のエリア、すなわち路肩に鉄の無垢の彫刻を置くという作品だった。彫刻は一人ではとても持てない重さだが、万一の際の不安もありチェーンでつないだ。彫刻のかたちは、影ができるとちょうど前方後円墳のような鍵穴型になるように設計した。あらためて思うが、このかたちがもつ「純度」は時間が経つほど増しているように感じる。このほかに、歩道にある掲示板に鳩よけ用の鉄の棒を数カ所に設置した【28】。このときの作品の一部は現存しており、掲示板を塗装し直したときに、作品である鳩よけの鉄部分もしっかりと塗り直してメンテナンスしている。

このほかオープニングには26組のアーティストたちが自主参加した。宇治野宗輝は電飾神輿で参加アーティストの作品を解説する《デコラティブツアー》を行った【29】。ところが発電機を付けていたために車両と見なされ、即撤去せよと警官より指導を受けた。天狗プロジェクト《和光》【30】は、小沢剛と松橋睦生によるユニット作品で、銀座4丁目の交差点で大きなキャンバスに「和光」などの絵を描くパフォーマンスを行った。絵を描くことは、さすがにとがめられはしなかったが、肝心の絵の完成度が低かったのが残念である。

会田誠による《アート・コジキ・イン・銀座》【31】は、前の晩に銀座の日動画廊の目の前で路上宿泊し、スナップ写真や藝大の卒業証書を販売するというパフォーマンス作品だった。卒業証書には直筆で富士山の絵が描かれており、「20円」という値段が付いているーーと思いきや、小さく「万」と書かれていて、実際に20万円で販売していた。しかしいまとなってはそれでも安いかもしれない。なお、このときの路上での販売は、すぐに警察の指導を受けていた。

中野渡尉隆の《千円で御縁》も警察沙汰になった。これは五円玉を千円分、路上に広げ

22

23

24

25

26

27

28

て販売するというもので、しかも領収書を発行して即撤退だった。鈴木真梧の《パーソナル・パーキング・プロジェクト》は、ホコ天前にわざと汚した自家用車を置きざりにしてレッカー移動されるという作品だったが、実際に移動されることはなかった【32】。ほかにも多くの参加者が同時多発的にそれぞれのメッセージを銀座の街に放っていた。

『ザ・ギンブラート』を開催するにあたっては、参加者のほとんどと、どこかのオープニングなどで会い、「今度、銀座でゲリラ的に展覧会をするのだけど、もし参加するならどんな作品をつくる?」と質問した。相手がアーティストでなく、編集者だろうとダンサーだろうとこの質問を投げかけた。そうすると一瞬で、相手の頭の中にイメージが広がり膨れあがっていくのがわかった。参加者のなかには、このときだけ「表現者」として名前を出したという人も少なくない。その後の展開をみると、あのときにアーティストとして活動する経験を一瞬でも得たことが、次の仕事の展開に明らかに影響を与えている。すべてを肯定するという姿勢は、だれでも参加できるということだ。私はこのときの経験から、どんな人でも自由にイメージを広げ自己実現するチャンスを得ることで、創造的な経験値が一気に高まることを実感した。

またこの『ザ・ギンブラート』の様子は、写真家の安齊重男さんが撮影してしっかりと記録に残してくれた。かなり正体不明なアーティストたちが参加するプロジェクトにもかかわらず、そのおかげで美術史に認められた感があり、正直に言ってとても嬉しかった。

銀座で行った『ザ・ギンブラート』には、美術にかかわる制度上のさまざまな課題が残されていた。その課題を引きずりながら行ったのが、京橋にあった藍画廊企画での個展『レンタルギャラリー1994』である。1994年に発表したものだが、制作は199

3年のうちから少しずつ行い、総勢36人の美術関係者から貸し画廊制度を基準にそれぞれのアートに対する考えを聞き取った（のちに『貸し画廊・1994』という書籍になった）。そうすることで一元的な批評ではなく、多様な価値観の中に潜む批評性をあぶり出したかったのだ。アートシーンを形成する実在の人に一人ずつ会い、しっかりと話を聞き取るというこの姿勢は、他者を正面から受け止めることであり、街でカメラを向け、実直に自分をさらけ出すように撮影することに近いものがある。

その後、この作品は後述する《美術と教育プロジェクト》となり、私は100人以上のアート関係者と会い、インタビューしていくこととなった。このときの経験から、会いたい人に会いに行きしっかりと話を聞くことは、聞き手となる自分自身のアイデンティティーを進化させることがわかった。

自己組織化したアーティストによるゲリラ戦
『新宿少年アート』（1994年4月23日〜5月14日　新宿・歌舞伎町）

この『新宿少年アート』の告知チラシに、私は次のように書いた。

新都庁を中心に超高層ビルが天を仰ぎ乱立。世界の約半数の国籍80カ国1万9213人が外国人登録し居住、働いている新宿。そして混沌としたアジアの空間からネオワールドな集合体に融合しつつ増殖を続けている巨大歓楽地、歌舞伎町。ここが展覧会のメインステージです。最もリアルな国際感覚、バランス感覚が必要とされ、実践されているその空間には、生々しい緊張感が張り詰め独自のルールにより管理され組織化してきた現実がさらけ出されています。『新宿少年アート』とは、特異な空間性を対象とし85名のアーティストが自己管理、責任において作品を発表するゲリラ型の展覧会です。ここで行われる一つひとつの出来事に立ち会い、歓喜し批評するために観者は、私達の準備したダイヤルサービスから最もホットな情報を仕入れなくては『だれがどこで何をするのか』わかりません。慣習的、形式的なアートでは、通用しない新宿、歌舞伎町という場は、85人の創造行為に契機と勇気を与え、より豊かで人間的な方向を示してくれることでしょう。アーティストのメッセージを直接聞き彼らの事件に巻き込まれるため歌舞伎町に足を運ぶ『あなた』個人が次なるアートを目撃、決定できます。また、アートのみならず街全体への新たな眼差しが向けられるでしょう。覚悟して観に来て下さい。

ずいぶんと気合いの入ったステートメントである。このときのキャッチコピーは「ダイヤルサービスによるストリートアートネットワーク展」。チラシの裏面も、ほとんどダイヤルQ2の使い方の説明で埋め尽くされた【33】。

ゲリラ展もここまで来ると、かなり念入りに準備を行わないと実現しない。参加者は、応募用紙に作品プランやプロフィールなど、規定の情報を記入して申し込む。FAXでの送信もありだが、基本は郵送である。また終了後にも参加結果レポートを規定の用紙に記入し、記録写真などと共に事務局（私の自宅だった）まで送ってもらっていた。

32

29
INAX

33
1994*4*23 (SAT)_5*14 (SAT)
24h open!
新宿少年アート
SHINJUKU SHONEN ART

新宿少年アート・ダイヤルサービス
「少年アート」の使いかた
まず電話。
0990-32-7611
or
8180
4560 #
メニュー選択のアナウンスの後、5つのチャンネルを選びます
新宿少年テレビ・新宿少年ラジオのお知らせ

30

34

35

31
卒業証書
20円

まったく知らない人と手紙やFAXのやりとりをしつつ進行していくのだから、いま思うと相当に時間をかけていた。このときの事前の説明会には、予想をはるかに超える120人ほどの参加希望者が集まった【34】。歌舞伎町のことをよく知る雑誌『AERA』のジャーナリスト、芦崎治さんに行動時の注意事項を説明してもらい、実際に街に出て、暴力団の事務所やアジア系マフィアのビルなどをリサーチするツアーを行った。このツアーは、私自身も含めた参加アーティストをかなり萎縮させた感がある。銀座とは異なる土地柄ゆえ、トラブルを避けたいという防衛本能が働きすぎたかもしれない。

『中村と村上』展以降、私のなかでは作品をつくることと、展覧会を企画・制作することが同じ程度のテンションをもつようになっていた。『ザ・ギンブラート』はゲリラ的ではあるが私一人で運営を行ったので、組織的な段取りはうまく行かなかった。そこで『新宿少年アート』では、実行委員会なるものを立ち上げた。当時は細見画廊に勤務していた小島友見子さんと私が中心となり、岩井成昭が渉外担当、小沢剛が広報担当、八谷和彦がチラシデザイン担当となった。

事務局はとくに場所を定めず、受信専用の弁当箱のような携帯電話を抱えて街に出た。新宿一帯に散らばった作品の在り処にたどり着くのは難しいと思われたため、ダイヤルQ2のサービスを使い、公衆電話で所在地を聞き出せる画期的なシステムを、しかも日英バイリンガルで準備した。さらにFAXで周辺地図をプリントできるサービスまでも行った。

しかし実際に蓋を開けてみると、予定していた場所に作品をゲリラ的に設置することはできず、プランはどんどん変更された。しかも公衆電話からダイヤルQ2で場所を聞き出せても、その場所まで行く間に忘れてしまったり、地図上の一点が現場ではとてつもなく広いエリアだったりしたため、観客はいったいどこに作品があるのか見当がつかないということがしばしば起きた。このような惨事が起きたのは、当然と言えば当然だった。

とはいえこのとき、総勢89組の参加者が一斉に歌舞伎町で作品を発表したことは快挙である。福田美蘭の《ポケットティッシュ》は、絵画作品をポケットティッシュに印刷し無料配布したものだった【35】。《Life is complete》（曾根裕、西原珉）では、参加作品をキュレーターの黒沢伸が大人用乳母車に乗って解説を行ったが、わかりやすくユニークな論点が好評だった【36】。中ザワヒデキが編集長を務めるJapan Art Today編集部の『JAT、新宿少年アート号』では、中ザワと大岡寛典がデジタルカメラで撮影した写真を即時に編集し、それをフロッピーディスクに保存して販売した【37】。この編集部は、もとみやかをるの作品《Jetée について》が行われたのと同じゴールデン街の店舗にあった。

竹内やすひろの《FINGERPRINT》【38】は、直径40センチメートルくらいの大きな指紋をシルクスクリーンで直接道路やフェンスに刷ったもので、外国人の指紋押捺問題など人権侵害に関して批評性の高い作品だった。《住所看板》も同じく竹内やすひろの作品で、歌舞伎町で「首相官邸前１」というあり得ない住所看板をリアルに再現し、住所表記の恣意性を逆に利用したシュールなものだった。伊藤敦の《SHAKE IT》は、ワイヤーロックを触るとカウンターが数えられる作品だったが、これはどうやら現存しているらしい【39】。カウンターの数字はどのくらい数えられたのだろうか？　オクダサトシの《アントニオ・イノキン／増殖１０１人のアートレスラー》は、デストロイヤーの覆面を１０１人の人間が一斉にかぶるという作品で、シンプルな行為だがシニフィアンとシニフィエがずれていき、見る人は笑わずにはいられない。この他にも多くのアーティストが、パフォーマンスやその場で消えていくような作品を多く発表した。

このときの私のアプローチは、学校用の椅子をチェーンで結んでただ置いただけ、というものだった。当時の私はＰＬ法について考えており、「椅子自体の製造物責任とはなにか?」というようなことを自問自答していた【40】。しかしプロジェクト運営に注力せざるを得ず、自分の作品を創る時間がなくなるのを初めて経験した。これ以来、自分のプロジェクトではいつも同じ問題が起きてしまう。

『新宿少年アート』終了後の記録パンフレットには次の文章を載せた。

（中略）、新宿少年アートで問われた点を一つあげるとしたら価値基準ということである。ヒエラルキーを構築する全てのエネルギーとは真逆のエネルギーであるアートという価値基準を通して見ることによって感じられる生な社会の価値基準である。好き嫌い。善悪。イエス、ノーという二者択一的社会には、なりきれない日本社会、その都市の中だからこそ培われている価値基準がいかなる優先順位を持ち、決断・決定されているのかがアーティストの態度の隙間から見え隠れするのである。しかし、ここでのアートは、いわゆるホワイトキューブ内で育まれた価値基準では、判断できないので要注意だ。アートの社会的機能を個人レベルから現実のシステムにインストールしなくては仮想と現実の差異はいっこうに埋まらない。

流れ続けなければならない路上の法において、少年のように寄り道をし、立ち止まること。無菌を保とうとする美術館に注入するため、活きのいい都市のウイルスを採取すること。

39
36
40
37
41
'94 1 28
38
42
At the very beginning it started in a car on the way back to Tokyo.

そのために『新宿少年アート』は、美術人間洗濯機であったのである。

最後の「美術人間洗濯機」というフレーズは、歌舞伎町の看板に「人間センタクキ」【41】と書かれたものがあったので、そのイメージを引用している。

パブリックアートとはなにか？　ホワイトキューブのなかで培った審美性を大理石やブロンズに置き換え、ゼネコンと組んで野外に置いたとしても、なぜそれがアートだといえるのか？　個人的で些細なことをパブリックな空間で行うからこそ、「純粋」で「切実」な表現が生まれ、「逸脱」する瞬間を目撃できる。そうすることで、「アートと言われる前」の生々しい現場が露呈されてくるのだ。

ソウルや東京・大阪での『中村と村上』展から『ザ・ギンブラート』や『新宿少年アート』までの一連のパブリックスペースでのアートプロジェクトは、参加する個々のアーティストが抱える、小さなタブーへの挑戦だったかもしれない。

アートプロジェクトを企画制作するオルタナティブスペース
コマンドN（1997年〜）

“At the very beginning, it started in a car on the way back to Tokyo”
「そもそもそれは、東京へ戻る車の中で始まった」【42】

この言葉は、フランスのアーティスト、ディディエ・クールボが「コマンドN」の事務所の壁にインスタレーションした作品のテキストである。彼は私に「コマンドNはどのようにして生まれたのか?」というインタビューを行い、その活動が起こる前の微かな気づきの瞬間を作品化した。表現の初動となる気づきに現れた、純粋な心の揺れを逃さず視覚化した。

1996年から1997年にかけて、私は香港に滞在していた。銀座や新宿でのゲリラ的なアートプロジェクトやコマーシャルギャラリーでの個展、美術館での国際展を経験した後、次のプロジェクトの準備や、膨大なインタビュー原稿と格闘しながら帰国したばかりだった。

これからどうやってこの東京にアクセスしていこうか? たんなるゲリラ活動では、せっかくできた繋がりや経験も、その場限りで消えていく。だがスタジオにこもって制作しているだけでは、都市との距離がいっこうに縮まらない。作品制作をしながら見えてきた東京像に、これからいかに挑んでいくのか? アートプロジェクトを組織化していくためには、何をすべきか? 前々から暖めていた「秋葉原TV」プロジェクトの企画を実現するためには、何から始めなくてはならないのか?

そんなモヤモヤとした想いで、首都高を走る車から目の前の都市風景を見ているうち、気づきが起きた——そうか、拠点をつくればいい! この拠点をハブに、どんな人ともつながっていければ、プロジェクトを展開できる。スキルをシェアし、自分たちの考えやアイディアを実現に近づけるための場をつくればいい。その瞬間、東京との距離が一気に縮まった。それまでモヤモヤとしながら揺れていた心に、くっきりと新しいページが開いた。

コマンドNは、この気づきから始まった。その起点となったこの瞬間を、ディディエは作品化したのである。

場所は、秋葉原周辺に決めた。この街の近くに拠点を構えることが、「秋葉原TV」というプロジェクトの実現率を高めるはずだ——この勘だけで、物件を探した。

拠点を探し出すのに、そんなに時間はかからなかった。秋葉原電気街も上野、御徒町も賃料が高く、いい物件がなかったが、千代田区と台東区の区境である外神田6丁目と上野1丁目の周辺だけが、ぽっかりと街のイメージもあいまいなボイド（空隙）になっていて、賃料も安く特別な物件があった。そのひとつは地下で約25坪、天井高は3・5メートルくらい、一階には車が一台おける車庫も付いてきた。直感的にここに決め、「秋葉原TV」を一緒に実現しようと声をかけた人たちのシェアオフィスとして稼働させた【43】。一階の車庫はホワイトキューブにリノベーションし、オルタナティブギャラリーとして運営を始めた【44】。拠点の名前は「command N／コマンドN」と決めた。

「コマンドN」という名前は、マッキントッシュで「新しいページを開け」というショートカットキーからとった。それはタブラ・ラサ（白紙）への還元ではなく、その逆のベクトルをもつスクリプトである。個人を社会へと開き、仲間の心を開き、プログラムを開き、街を開き、その先の見えない未来まで開こうとするものだ。ホワイトキューブも含めて街に新たなフレームを開発することを重視した。

「新しい」とは何か？「ページ」とは何か？「開け」とは何か？　それぞれの命題を、プロジェクトを実証しながら問い続けた。その結果、コマンドNの活動は時代の文脈を読み取り、新しい価値を「別名で保存」し、既存のシステムから逸脱するページを描きだし、

46
43
47
美術に教育
二〇〇四
中村政人
美術の教育
一九九九
中村政人
美術と教育
一九九七
中村政人
44
45
石丸電気
石丸電気
LAOX
DUTY FREE
石丸電気駅前店
48

制限を超え自由を開くことへ向かっていった。

コマンドNの精神は、「自分たちで自分たちの場所をつくり、自分たちの活動を生み出す」ということだった。言いかえれば、個人に宿った創造のエネルギーを都市とシンクロさせ、東京の創造力となる気づきを生み出すことだ。一本の釘が家全体を支える部分としての意志をもち、その家が集まって街となり、街が都市の部分として全体を支えるように、個と全体の意志ある関係を創造していくことだった。街を歩いていて新たな気づきが生まれた瞬間、都市の可能性が広がる。その気づきを表現・活動・事業・政策として、新たなページに可視化していく。プロジェクトがどこまで大きく広がったとしても、個の気づきにイニシアティブが保たれていれば、全体との関係を持ち続けることができる。そのような確信があった。

このコマンドNの精神は、20年の時間を経て多くの活動を生みだしてきた。7カ所の拠点、190のプロジェクト、2000名の参加アーティストと協働し、延べ120名のコアスタッフが企画しつづけ、約950名の運営スタッフおよび協働者・団体と制作してきた。総事業費は約7億円★1と、東京都美術館の年間予算と同程度の額で実現してきた。

1997年のコマンドNオープン当初の活動を、P3 art and environment エグゼクティブ・ディレクターの芹沢高志さんが次のように書いてくれている。

「コマンドNは現代美術関係の作家や編集者、プロデューサーの共同オフィスだが、ビルの1階、道路に面したところに3・4m×2・8m×2・8mの「コマンドN／キューブ」と呼ばれるコンパクトな空間を持ち、主にここを使いながら、さまざ

★1 1997年~2009年までは任意団体のためプロジェクトごとの事業を積算。2010年法人格取得以降は、毎年の決算額を積算し算出。

まなアート関連プロジェクトを実行している。20坪あまりの共同オフィスは地下にあり、トークショーなどは、この地下の空間で行われる。中村政人は、東京近郊のスタジオから都心に向かうとき、やはり設立メンバーの一人、坂口千秋と高速の渋滞に巻き込まれ、そのとき二人でコマンドNの発想を得たという。初めは主として、個々の経済的な限界を超えようという試みだった。共同の東京拠点だ。しかしそれは、だんだんと彼らの問題意識が反映される場、より社会に開かれた場のアイデアへと変わっていった。国内外を問わず、東京に入ってくる人間たちに、ハブとなるような機能があったらいい。東京に入ってくる際の、前線基地となるようなスペースだ。教育の問題もある。どうせ現場を持つのなら、そこで現場という教材を、多くの人々に直接提供できるだろう。ノンプロフィットということを、やりながら考える場にもしてみたい。つまり、新しいノンプロフィットのやり方を、実践的につくり出す。東京に拠点を必要とする国内外の作家たち、他のノンプロフィットスペースの運営者、美術に限らず、同時代の中で彼らが共感を持つ人々、そんな人々と出会い、話し合い、そしてそこから根を張り出す横断的なネットワークに、彼らは期待する。」

コマンドNがやってきたことは、いまならば「ソーシャリー・エンゲージド・アート」と言ってもいい文脈をもっていた。アーツ千代田３３３１は「エンゲージ」に留まらず、経済的な課題をも解決しつつ、持続的にアートプロジェクトを展開するために法人格を得て、より社会的に機能できるように展開していったものである。

東京ビエンナーレは、コマンドNが培って来た「新規ページを開く」というオルタナティブな精神とネットワークを受け継ぎ、そこにアーツ千代田３３３１の自律的な経営・運営方法、地域に拓くアートプロジェクトを加味して展開したものと言える。その意味でもポスト・ソーシャル・エンゲージド・アート、ポスト社会彫刻と言える展開をしている。既存のアートコンテキストに回収されにくい、新しい価値観を見出そうとしているのだ。

ソフトとハードの関係は、自由だ！
『秋葉原TV』（1999年・2000年・2002年　秋葉原電気街）

『秋葉原ＴＶ』のプロジェクトビジョンに気づいたのは、１９８９年頃にソウル市内のチョンゲチョン六街（清渓川６丁目）を歩いているときだった。

チョンゲチョンは市内でも最も刺激的な地域で、通称「泥棒市場」と呼ばれていた。どう見ても粗大ゴミのような中古商品が、そこでは乱雑に路地を埋め尽くしていた。家電から業務用の機械、食用の犬まで、ソウル市民の生活を底辺で支えているような街区だった。一言でその雰囲気を言うと、リドリー・スコット監督の映画『ブレードランナー』で表現されている街区のようなあやしい街だった。

その日はあの映画のように、小雨が降っていた。じっとりとした空気が身体にまとわりつき、汗ばむ感じだった。夕暮れどきで、店舗の蛍光灯の青白い光と原色の看板光が濡れた路面に乱反射し、アジアのカオス感をさらに演出していた。まるで未開の原生林でいきなり野獣に出くわすかもしれないといった緊張感が、チョンゲチョンにはあった。

恐る恐る路地に入っていくと、ナム・ジュン・パイクのインスタレーションのように積み重ねられたテレビモニターに、NHKの大相撲中継が流れているのが目に飛び込んできた。一瞬、目を疑った。周囲を見わたすと、あちこちのテレビモニターに大相撲中継が堂々と流れていた。当時の韓国では、日本の文化、つまり音楽や映画や本などは輸入禁止だった。ところがチョンゲチョンの人たちは、実際にはここまで届いている衛星放送の電波に巨大なパラボナアンテナを向け、チューナーを繫げてしまった。それだけで電波は映像となり、その意志を表す。国境を越えて届く電波そのものに悪気はない。この瞬間、私のなかでパラダイムシフトへの戦慄が走った。

「ハードとソフトの関係は、自由だ!」

南北朝鮮を分断する38度線の上も、鳥になれば自由に行き来できる。ハッカーのようにプロトコルのかたちを変えれば、ハードウェアの制限など楽々と超えてしまう。ハードがソフトを制限しているのではなく、ソフトがハードを選び、その制限を支えているのだ。逆説的だが、制限こそが自由を生みだしているとも言える。制限すればするほど新たな自由が生まれ、創造されていくのだから。

この解放されたプロトコルでチョンゲチョンの街を見直すと、目の前に広がる風景が意志をもった風景へと瞬時に変わった。風景を構成する一つひとつのモノにその制作者の開発意志を感じたのだ。それらは、ただそこにあるのではなく、多様な歴史の流れを受け止め、しっかりとそこに存在しているように思えた。路上のゴミでさえ、そこにたどり着くまでの在り方を主張しているように見えてきた。街を形成するすべてのパーツが、お互いの存在を「アフォード」(知覚心理学者ギブソンの「アフォーダンス」という概念による)し合い、微細な因果関係を創発的に構築しているように思えた。

もしそうだとすると、街は一つの生命体であり、その創造力の結果が風景を形成しているとも言えるのではないか。大げさかも知れないが、そのときから私には、地球や宇宙という遥かなる謎と、目の前の風景とが連鎖して見えるようになった。

日本に戻った後、秋葉原電気街で販売用のテレビモニターをジャックし、ビデオアートのプロジェクトをつくるというアウトプットのイメージが湧くまでには、それほど時間はかからなかった。テレビモニターという箱さえあれば、そのなかで映像は自由に姿を変えることができる。街の創造力をアフォードするメッセージとして、この映像をテレビモニターのなかにそっと忍ばせ、気づいた人のみが「もう一つの秋葉原」の世界に入り込む。街というハードウェアにはいっさい手を触れなくとも、ソフトウェアの力だけで街の感じ方を逆転させ、規制や制限の裏側に回ることができる。『秋葉原TV』とは、秋葉原の街を構成するすべての存在を、一瞬にして一つの生命体のように感じさせるための映像チャンネルだった【45】【46】。

あいたい人にあいに行く
《美術と教育プロジェクト》(1997年〜)

美術と教育プロジェクトは、それ以前に行った『貸し画廊・1994』というインタビュー集を制作するプロジェクトから発展したもので、のべ117名のアート関係者にインタビューを行った。このプロジェクトは最終的には『美術と教育・1997』『美術の教育・1999』『美術に教育・2004』という3冊の書籍としてまとめられた【47】。

東京藝大の教員になる前からこのプロジェクトを行ってきたが、その後は藝大内部から美術教育改革を制度的に行うため、カリキュラムや運営面でも新しい提案と実践をしている。2017年からは東京藝術大学美術館で、幼稚園から大学までの美術教育の流れを体感する展覧会「美術と教育 全国リサーチプロジェクト」を毎年開催している。

『美術と教育・1997』のあとがきには、次のようにこのプロジェクトを始める動機を記した。

金山明さん田中敦子さんに会いに奈良に行ったときのことである。

金山さんが車で駅まで迎えに来てくれることになっていて私たちは近鉄特急の駅を下りて待っていた。事前に三菱のグレーの車です、とは聞いていたもののそれらしい車はない。まだ来ていないのかなと思っていたところに、スポーツカーから白い開襟シャツ姿の紳士が下りてきた。金山さんだった。流線型で車高が低く、より速く走るために最新のテクノロジーがふんだんに使われてるグレーの三菱のスポーツカーからである。事情があり一時的に借りている車かなと思ったがそうではなかった。金山さんが70歳になったとき、弟さんからもう歳なんだから車とか乗らないほうがいいと言われ、次の日に最もスピードの出そうなそのスポーツカーを買ったそうだ。乗せていただくと体がシートに沈み、斜めに寝そべった体勢になった。エンジンをかけると唸るようなアイドリングの音と共に機敏に走り出した。私と編集の坂口さんは驚きと緊張のあまり無言になってしまった。「安全運転しますから……」と言ってくださった言葉は緊張感に追い打ちをかけた。スポーツカーはどんどんと山奥に入っていき飛鳥寺、高松塚古墳を過ぎこれ以上民家はなく道も山道になってしまうというあたりまでいった所にご自宅があった。自然に近づきすぎるとその存在の強さに圧倒され不安になる時があるがそれに近い環境である。車幅めいっぱいの道からさらに急な坂を登った所にご自宅はあり、その道も脱輪しようものなら五体満足ではいられない感じである。神業のようなハンドリングでそこを登るとき「何千回もしてますから……」と金山さんはやさしく言ってくれたが私は「何千回もの恐怖……」を同時に感じた。エンジン音が止まりほっとすると、家から田中さんが出てきて暖かく丁寧に私たちを迎えてくれた。新作が所狭しと並ぶアトリエでインタビューを終えて帰ろうとするとき田中さんが「中村さんいい作品創ってください。問題作をね……」と声をかけてくれた。どきっとした。歴史に声をかけられたような、すべて見抜かれているような感じがした。金山さん田中さんの生き方がとても「美術」的であり、そのご夫妻の車に同乗したことは「教育」的な経験であった。

このインタビュー集の制作動機は、1989年から3年間の韓国留学時代の体験がベースになっている。ソウルで私は、韓国の「美術」の契機になったのが黒田清輝がフランスから学んだ印象主義、いわば「亜流印象主義」であり、東京藝大でそれを学んだ韓国の留学生が自国に持ち帰ったものだということを知った。韓国の美術教育はその後、日帝時代を経て現代に至るまで、制度的にも色濃く日本的になっていった。私の体験からいうと、大学に入学するまでが日本的で、卒業まではアメリカ的であるように感じた。つまり入るのも難しく、出るにもしっかり勉強しなくては卒業できないのだ。美大の前には美術予備校が建ち並び、窓には石膏デッサンが飾られている。テキストとしては日本の「芸大美大受験シリーズ」のようなノウハウ本が、フルコピーされて使われている。複写の段階で絵の構図や色は変わっていても、内容はそのままである。

ソウルの作家と作品の話をしていても、妙にお互いが納得しあえてしまう。形体の捉え方などもそっくりである。なぜ、国の環境も異なるのに同じ考え方をする作家がこんなに多いのだろう？　同じ「美術」という漢字を共有している（読みは韓国ではミースルである）とはいえ、なぜ同じように「美術」をしているのだろうか？　私が日本で受けてきた美術教育はいったいなんだったのだろうか？　そもそも「美術」を「教育」するとはどういうことなのだろうか？　自分のなかでそんな疑問が膨らむばかりで、ソウルの街を歩いていてもその疑問にとらわれ、せっかく街の姿が見えはじめたというのに、作品制作の手作業がぴたっと止まってしまった。

このことをなんらかの形で解決しようとしたことがインタビュー集制作の動機の一つである。１９９４年に貸し画廊制度についてのインタビューをまとめた際、さらにこのテーマに対する動機付けが深まった。フィールドワーク的にインタビューを進めていくなかで、上野の森美術館の窪田研二氏から『眠れる森の美術』展の話をいただき、その展覧会のコンセプトに共感できたことも、この作業が形になる直接的な契機になった。

インタビュー作業は、１９９６年3月に制作ボランティア（後にネルビーズと命名される）を募集することから始まり、その後は私が香港に渡ったため、スタッフとの海を越えての

Eメールのやりとりで行われた。はじめは慣れなかったものの、作業が進行するにつれてインターネット時代の到来を体感することができた。メールでの会話だと細かいことまで言い合えるのに、いざ実際に会うとどうも会話がしっくりこない、という不思議な感覚もこのときはじめて経験した。

取材対象者は、『眠れる森の美術』展のスタッフと共に人選した。四十数名の方に企画書を送ってインタビューを申し込んだところ、34人が受けてくれた（そのうち32人のインタビューを書籍に掲載した）。このプロジェクトを終えて感じたのは、この作業自体が私にとって刺激的な「学校」であったということだ。特別集中個人講座を受けたような贅沢な体験だった。「会いたい人に会いに行く」ことを実践しただけなのに、膨大な情報が私のスキーマを構築していくさまが実感できた。

一人のインタビューを終え、次の人をインタビューしているときにも前の人の言葉が浮かんだ。誰が言ったのかはそのうちに問題ではなくなり、重層化した思考によって次の質問をする作業、つまり思考を組み立てて「考える」こと自体が一人立ちしていった。私という個人が考えているのではなく、ある他者と複雑に共有した思考自体が「考えている」。それは視えにくい制度というものを、他の多くの個人の経験を通して感じる作業でもあった。

スキマから都市の琴線に触れる
スキマプロジェクト（2000～2001年　神田／秋葉原周辺）

満員電車に乗ったとき、まず気をつかうのが自分の体のポジションをどうするかである。人と人のスキマに身をゆだねつつ、自分のつくりたいポジションを体をくねらせながら探りだす。誤解を受けないように手の位置に気をつけながら、密着している周囲の人と微妙にスキマをあけてバランスを取る。これは私だけではなく、満員電車に乗る人の共通ルールだろう。駅に着き、人が入れかわるたびに、乗客は一斉にこの動きをして、微妙なスキマを開けようと努力する。このような無言の一体化した動きをなんと言えばいいのだろう。ルールを知らない新入りの乗客が乗ってくると全体のスキマがくるい、厳しい視線が新入りを突き刺す。だがいつのまにか新入りもスキマの開け方を体で覚え、電車全体の人の流れに身を任せられるようになる。

サキサトムという作家は、特製の袋にいれたプレーンな紙粘土を持ち、満員電車に乗って毎日出勤するというプロジェクトをしていた。この紙粘土は、はじめは四角く平べったいものなのだが、乗客に押しつぶされて変形してしまう。その結果、驚くほど変形してしまった粘土をみると、人と人のスキマが何か可能性を秘めたもののように見えてくる。満員電車に乗ることから逃れられないこの社会だからこそ、そこでのスキマは貴重な価値に逆転する。

ある日、私は都庁の展望台に上って東京の都市風景を眺めてみた。地平線の向こうまで果てしなく続く雑居ビルや住居の風景を目にすると、私はいつも絶望と希望を同時に感じる。この都市はいったいなぜ、こうなってしまったのか？　誰がこうしてしまったのか？このカオスの中で、アートにいったい何ができるのか？　そんな思いが次々と浮かび、ため息がでる。

戦後間もない頃の焼け野原の写真と比較すると、同じ場所とは思えないほど東京の風景はその後激変した。祖父や父の世代の人たちが、家庭を顧みず必死に働いてきた成果なのだろう。しかし変化のスピードがあまりにも速かった分、今後の50年にドミノ牌が倒れるように一気に変わるかもしれない。そんな希望を私は捨てたくない。

「テトリス」は物体が落ちてくる時間と勝負しつつスキマを効率よく埋めていくゲームだが、東京もそう見えて仕方がない。ビルや住居を使って効率よく短時間にスキマを埋めていく不動産ゲームをしているようだ。路上は車が占拠し、人は流れるように絶えず移動しなくてはならない。公園では芝生にも入れず、ホームレスは柱の陰にさえ居場所を構えられなくなっている。地下空間はいつのまにか巨大なチューブが渦をまき、そこでは膨大な情報とエネルギーが考えられないスピードで見えない他者にアクセスし続けている。ビルの屋上はエアコンの室外機と看板で埋め尽くされ、空中でさえ権利が発生し、鳥が羽を休める場所もない。

これからこの都市で生き残ろうとする私たちに残された場所はどこだろうか？　どこかにそんな「スキマ」を探すしかない。一つは物理的な空間としてのビルとビルのスキマ、住居と住居のスキマである。あまり気づかれてはいないが、建築家は建物を建てると同時にスキマをも造っている。スキマは権利が曖昧だからこそ、バランスがとれている空間である。猫しか入れないほど狭くても、ビルの高さまでスキマの空間が広がっている。東京全体でみると、それは膨大な空間である。このスキマから第二の都市空間を見い出したい。

もう一つは、ハッカーがネット上でシステムのスキマに存在するような、可視化しにくい観念的スキマである。制度と制度のスキマ、親と子のスキマ、男と女のスキマ、政治家と有権者のスキマ、心のスキマ、歴史のスキマ、などなど……考えてみると世の中は観念的スキマだらけである。

スキマを発見し考えることは、都市構造のインターフェイスを思索することに近い。それは個人、家庭、学校、企業、役所など各階層を繋ぐインターフェイスである。ユーザーインターフェイスに優れたマッキントッシュというパーソナルコンピュータのおかげで、飛躍的にネットワークにつながりやすくなったように、複雑な都市構造に漂う私たちにも、優れた柔軟な思考をもつインターフェイスが必要である。そのためにも都市を見下ろす俯瞰視線からだけで発想するのではなく、満員電車で人に揉まれ、地震におびえ、隣の家の壁とのスキマに身を入れたり、空を見上げたり、ため息をつきながら、創造力を働かせてみなくてはならない。スキマからこの都市の琴線に触れてみることを始めてみたい【48】。

ISDN回線での動画発信サイトの構築と世界巡回プロジェクト

『東京ラビットパラダイス』(2001〜2006年　ロンドン、ベニス、シドニー、パリ、ミラノ、ワイマール、釜山)

あるとき夜に東京タワーから夜景を見ていて、ふと気づいた。どこまでも続くビル群の上部に、ゆっくりと呼吸するように赤く点滅するライトが見えはじめた。一つ二つではない、東京の風景全域の視界に、このライトは星座のように広がっている。じっと夜景を見ていると、その点滅はなにか生命体が生きている証のように見えてくる。さらに都市を包むノイズ音が、寝息のように聞こえてきた。赤いライトの正体は航空障害灯だが、まるで都市のシナプスのように見えた。

人間の思考、つまり「考える」ことが脳のシナプスの活動電位の現れだとすると、この点滅する赤いライトは東京で生活するすべての人間のニューロンがクロスし、無限に広がるシナプスのように活動している証のように見える。つまり、東京という都市自身が何かを考え、創造しているように見えてくるのだ。東京全域に住む人々の創造力を吸い上げ、私たちの手の届かない上位構造が、新たな「東京の創造力」を生みだしているようにさえ思える。

では、それはいったいどんな創造力なのか? この問いから生まれたのが『東京ラビットパラダイス』だ【49】。東京のシナプスの活動電位を可視化すること、つまり「東京の創造力」を映像で可視化するプロジェクトである。東京という都市に吸い上げられている私たちの断片的な創造力を、クラウド化するインターネットに意識的にアップロードし、シナプスに対して積極的に刺激を与える方法を施策したものだ。「ウサギ小屋」と揶揄される小さな家に住む東京での生活感を断片的にでも映像化することで、「東京の創造力」を日常レベルで感じやすく情報発信できるように計画した。このコンセプトをわかりやすく言えば、「ウサギ小屋で生活する私たちはけっこう楽しいよ! ここは、パラダイスだよ!」。そのように「東京の創造力」を海外へＰＲできるよう戦略をたてた。

具体的には、次のようなことを行った。まず、東京のさまざまな場所にライブカメラを仕掛け、そのリアルタイム映像と、46人の映像作品をいつでもどこでもインターネット上で見られるというプロジェクトを構築した。当時のインターネットは、まだダイヤルアップからISDNの常時接続回線になったばかりである。いまでこそYouTubeなどネット上での動画やライブ映像が当たり前だが、当時は回線に接続するだけで時間課金され、ヒヤヒヤしながらネット接続していた。そこで『東京ラビットパラダイス』では専用回線を引き、サーバー用のコンピュータも購入してコマンドNのメンバーでプログラムを書いた。そうやって独自の動画配信サイトを設計し、公開したのである。

こうしたインターネット上の映像にくわえ、実空間の会場で体験できるインスタレーション作品や、のべ46人の参加作家の作品をダイジェストでまとめた映像もあわせて展開した。ライブカメラは葛飾区青戸にあった当時の私の自宅前の路上と、東京藝大のキャンパス、麻布のビルのスキマなどに設置してライブ映像を24時間流しっぱなしにしていた。このプロジェクトは2001年のロンドンを皮切りに、ベニス、シドニー、パリ、ミラノ、ワイマール、釜山と世界を巡回していった。

しかし当時は私たちのビジョンに対して、あきらかに技術が追いついていなかった。時代の先を行き過ぎていたのである。つくりたいイメージに近づけるため、最新の技術をフルに使ってチャレンジしたが、回線が遅いうえに動画圧縮技術も未成熟で、画質もスピードもイメージしたクオリティにはほど遠かった。しかし、そのズレこそが東京の次世代のビジョンを指し示し、私たちの表現にリアリティを与えていたとも言える。

いまも東京という都市では同じ時間に多様な行為が行われている。一人の行為だけを見ると微細な断片にすぎないが、一人のシナプスの叫びが東京の叫びにシンクロしたとき、それは何を創造しているということになるのか？『東京ラビットパラダイス』で見られたその断片からは、その総体の姿が垣間見えたように思う。現在のクラウド化されたインターネットの全体像を把握することは難しい。しかし、このときに試みたような「都市のシナプス」への刺激次第では、一人の創造力が一瞬ではあっても、都市の創造力とシンクロする可能性が見えるのではないだろうか。

富山県氷見市におけるサスティナブルアートプロジェクト『ヒミング』（2004年〜　富山県氷見市）

富山県氷見市で開催された、地域のサスティナブル・アイデンティティを発見し、創造していくアートプロジェクトが『ヒミング』である。「ヒミング」とは「氷見（ひみ）＋ハミング」からの造語であり、ヒミという響きとハミングの持つ調和、リズム感、平和などのイメージを大切に、氷見を感じ、楽しみ、何かを創り出すアクティビティを勇気づける気持ちでネーミングした。

このアートプロジェクトの特徴は、地域との関わりを「発見→計画→実現」というアーティストの作品制作プロセスにシンクロするように活動ビジョンを構築しているという点にある。いっけん価値がないと思われているものに、新しい価値を生み出していく創造プロセスを重視しているのだ。

53

49

54

50

55

51

56

52

具体的には、以下のことを行った。まず、地域アイデンティティの「発見」を促す活動として『氷見クリック』【50】というプロジェクトを先行的に実施した。これはアーティストが地域資源を素材として映像作品を滞在制作するプロジェクトで、アーティスト自身が素材とテーマを選び、撮影から編集まで「ライブ演奏」に近い、生々しい映像制作を行った。この体験から生まれた作品には地域に眠る多くの可能性が映し出された。

たとえば伊藤敦の作品は、紙飛行機や赤風船を使って市内各所をストリー展開に取り入れる手法で撮影を行った。水中にもカメラを設置してそこから見える風景を撮影し、オリジナルの楽曲とともに異次元的視点から氷見を表現した作品も発表した。

牛島均が制作した作品は、氷見市沖300メートルに位置する唐島に天馬船でちょっとした冒険に出かけるというものだ。この作品が契機となり船大工の番匠光昭さんと『ヒミング』との出会いが生まれ、その後の「天馬船プロジェクト」へと繋がっていった。『ヒミング』の運営にも初回から携わっている宍戸遊美は、能登半島を縦断する高速道路により分断される地域や、新たな開発によって消えてしまう何気ない日常的な風景をゆっくり読み解くことにより、その地に潜むゲニウスロキ（地霊）を視覚化しようとする作品を制作した。氷見市出身のドキュメンタリー映画監督、鎌仲ひとみは森と海の相互の視点から「森は海の恋人」というテーマでインタビューを行い、定置網など海から大きな幸を得ている氷見だからこそ、森の環境をまもることの大切さを説いた映像作品を制作した。この作品は地域の問題が世界の問題に直結しているという事実をあらためて感じさせた。他にもさまざまなアプローチで映像作品が制作され、氷見を体験したからこそ見いだされた魅力的な表現の動機がちりばめられた。

『氷見クリック』はアーティストの視点や思考や表現活動が、地域アイデンティティとなる要素に「気づき」、「発見」を促すプログラムとして機能した。上映会場も意識的に阿尾の番屋、北大町海浜埋立地、商店街、国見天空平と変えていった。各会場に出向き、ゆっくりとした時間を過ごし周辺環境を楽しみ、そこでしか見ることのできないキトキトな映像作品を鑑賞するという空間体験は、新しいスローな地域メディアとしての可能性を秘めていた。素速く大勢に伝えることより、ゆっくり身近な人に伝えることで初めて発見される価値に気づいてほしかったのである。

フィルムコミッションによって地域が注目を得ることは、映画制作のプロセスに対して地域資源を開放していく一つの方法だが、『氷見クリック』での試みは地域のアイデンティティを再発見するために、映像制作のプロセスそのものをアーティストに開放することだった。問題は、ここで「気づき・発見」された地域のサスティナブル・アイデンティティが何を求め、実現したいと思っているのか、その実現にはどのような計画が必要なのか、ということだ。一人の人間のアイデンティティが形成されていくプロセスと同様に、地域アイデンティティの形成プロセスも、経済原理ではなくサスティナブルな本質的視点から捉えることが必要だ。それはいまやすべてのプロセスに通じる価値基準となっている。

こうした「発見」から見えてきたビジョンを実現するための「計画」としてのアプローチの一つが「天馬船プロジェクト」だ。昭和30年代、氷見の海上の足は漁業用の小舟＝天馬船だった。しかしＦＲＰ船の普及とともに、木造和船はほとんど姿を消した。「天馬船プロジェクト」は、この失われた木造和船文化の保存と造船技術の伝承を目的に、ミニ天馬船の川流しレースを行って資金を募り、最終的には本物の木造天馬船を復活させようというものである。

ミニ天馬船レース【51】は、氷見杉の間伐材を使用して制作された30センチメートルほどの小舟を上庄川に浮かべて行った。川の流れに運をまかせ、上流からゴールを目指しゆっくりと下流に流し、早くゴールした上位十艘には地元特産品などの商品を用意した。参加資格は年齢、地域を問わず、１０００円の協賛金を出せば誰でもインターネットから登録できた。２００６年には約９００艘、２００７年には約６００艘のミニ天馬船への参加登録があり、２年間で約１５０万円の協賛金が集まった。

この資金から運営経費を除いた80万円を本物の天馬船を制作する資金とし、船大工の番匠光昭を中心としたチームに制作を委ねた。『氷見クリック』で「発見」された天馬船の魅力から、本物の天馬船を制作したいという「計画」＝「天馬船プロジェクト」が始まり、最終的に本物の天馬船が制作されるまでに至ったのである。

「計画から実現」というアプローチの最終目標は、新たに制作された本物の天馬船でのレースや遊覧体験を定期的に行い、造船技術を伝授するための学校を立ち上げることだ。若い船大工が制作する天馬船が木造和船文化の保存に活用され、観光資源としても魅力的な資源として活用されることが期待されている。

『ヒミング』のもう一つの柱は「蔵再生プロジェクト」だった。これは阿尾という地域にある番屋や、湊むしろ蔵など市内各所に残った木造・石造建築の魅力を、アーティストのアクティビティを通して発見し、建築的にも再生することを目的としていた。

たとえば上庄川の河口付近に位置する堀埜家の石蔵【52】は、トタン葺きで赤錆色の外装が印象的で、大谷石を積み重ねて造られている。もとは味噌・醤油屋である堀埜家の小麦や大豆の保管蔵だったもので、景観的にも地域アイデンティティとなるとても魅力的な建築だ。2005年に私が制作した映像作品内ではこの石蔵を取り上げ、今後の活用にたいしての気持ちを表現した。また2006年の『ヒミング』ではここをカフェ機能を持たせた情報拠点として活用した。

高岡在住の創作機械作家の通称ピッコロさん（柿田勝秀）制作の自転車＋かき氷機械（お客さんが自力で自転車をこぎ、かき氷のモーターを回す。汗をかくほど、冷たいかき氷がおいしく食べられる）は子供たちに大人気だった。米粉でつくる「こめっこパン」や、地ビール、地酒もここで初めて出会う人々を和ませた。2007年には、この石蔵をリノベーションするとしたら、どのような活用案が創造できるのかという目的で、建築家の佐藤信也さんが「蔵メール」というプロジェクトを発表した。レストラン、水族館、室内公演、ギャラリーなど、実現不可能なものから現実的なプランまで約30点におよぶ模型が提案され、建築的な創造力はたとえ模型だとしても場の活力を喚起することをあらためて感じさせてくれた【53】。

さらに2年間をかけて、膨大にあった廃棄網を処分して内部空間をスケルトンにした。そのことは実際にここで何かを始めることにたいして大きな勇気を与えることになった。この石蔵では「発見→計画」のプロセスから次の「実現」としての展開が見え始めており、「蔵再生プロジェクト」の成果が現れてきている。

次に「蔵再生プロジェクト」で生まれた作品を何点か紹介する。まず阿尾の番屋では、丸谷芳正さんによるデザイン家具の作品が制作された【54】。倉庫では、高橋治希さんの九谷焼きでつくられた記憶の植物のような作品【55】が制作された。どちらも工芸的手法を取り入れた完成度の高い作品だった。こうした工芸的完成度と古い木造建築の対比が、漁港を目前に静寂な緊張感ある空間を生み出していた。

5年間にわたり毎年このプロジェクトで使用してきた番屋は、全国的にみても漁業・漁村の文化財的に貴重な価値があり、建築的魅力だけにとどまらない地域アイデンティティと言えるだろう。2007年の情報拠点となった青野米蔵や湊むしろ蔵では、鈴木真吾【56】、日比野克彦【57】、堀浩哉、村山修二郎【58】、伊藤敦、柿田勝秀の作品が展示され、カフェとワークショップのプログラムが行われた。堀浩哉の作品は、天井高が7メートルもある真っ暗な土蔵の中に入り込んでくる光を貯蔵するようなインスタレーションで、足下に敷いた漁網の感触が蔵に流れていた時間を吸い取るようにしみこみ、観客は青白い光の粒子に包み込まれる。この作品は、そこにあるモノではなく「空間そのもの」が抱き続けてきたサスティナビリティを誘発し体験させてくれた。2006年まで制作の拠点として利用した森本倉庫や灘浦定置漁業組合倉庫の場としての魅力は、堀浩哉のこの作品のつよい表現力によって私たちの記憶に刻まれた。

藤浩志の「カエッコ」（いらないおもちゃをポイントに替え、欲しいおもちゃと替えることから始めるワークショップ）という制作活動も、『ヒミング』の活動プロセスを裏付けるように展開した。地域活動をいかに創造的にオペレーションするか、そのためのシステムをいかに創り上げていくのか。自発的な活用をどう誘発するのか、誰がそのことを実行していくのか。いまや日本全国のみならず海外でも行われ始めた「カエッコ」は、こうした地域活動を誘発するオペレーションシステムとしての完成度が高い。

秋田県大館市での『ゼロダテ』で行った「カエッコ・ヤ0号店」に続き、藤浩志は『ヒ

61
57
62
58

63
59

64
60

ミング』での1号店を発表した。「カエッコ・ヤ」は空き店舗を再利用した、お金を使わないお店として大繁盛した【59】。藤は翌年にはペットボトルでできた20メートルを越える大きな「竜」を制作し、ねぶた祭りのように造形と活動が一体化したようなプログラムとなった。

本川家倉庫では、柳幸典が環日本海を舞台に壮大なプロジェクトプランを発表した。本川家玄関土間では、西島治樹のインタラクティブなメディアアート作品が制作された。廃業した氷見温泉では、ノーヴァヤ・リューストラが制作を行った【60】。空き家となった古民家では、渡辺寛の写真インスタレーションが制作された【61】。営業しているお店では、原三枝が絵画作品を制作した。商店街の空き地では、栗原良彰の鳥をおびき寄せるためのインスタレーションが制作された。葛谷允宏は、氷見の実際の家庭において食事会ワークショップを開いた【62】。どの作品も氷見の地域アイデンティティを読み解くように、サイトスペシフィックな作品として制作されていた。

私自身は、老舗乾物屋である堀与商店前のアーケードを使用した作品を制作した【63】。全国で中心市街地の商店街は存亡の岐路にある。その用途が問われているアーケードの上部空間を歩けるようにリノベーションし、商店の二階以上の空間の活用を提案した作品だった。

「蔵再生プロジェクト」は、建築的に古いモノだけを対象としているのではなく、新しい価値をいかに創造していくのかというプロセスを大切にしている。街の記憶を新しく刻むために、アーティストの創造性がダイレクトにその場所に入り込むことで、さまざまな価値が逆転を起こし、気づかなかった地域アイデンティティを呼び覚ましてくれる。

さらに、前年に行った「竹ドームコンサート」【64】に引き続き、2007年には国見地区の天空平にて「天空ヒミオトフェスティバル in 国見」を開催した。中村真、ウェイノ、Crystal Bowl Healing 武、DJK、ASAHI、omu-tone といった多彩なミュージシャンが出演し、雲の上で演奏するようにゆったりとした時間を楽しむコンサートとなった。前日までの雨にもまけず約500人の参加者が山奥深い会場に足を運んだ【65】。この場所は昭和39年(1964年)に発生した、いわゆる「胡桃(くるみ)大地すべり」(約70ヘクタールの範囲で地区の全戸数87戸が壊滅した)のような地滑りに対する防災対策で、40億円以上の費用をかけて山を削りできた約2ヘクタールの平らな土地である。「天空平」と命名されたこの土地の魅力は、その名のとおり高い標高に位置しており遠く立山までが見渡せるロケーションと、東京ドーム2個分はある広さだ。この天空平の地域アイデンティティは、どんな計画を望んでいるのか。「胡桃大地すべり」を体験した森杉国作さん(氷見市森林組合会長)を中心とし、自然と本質的に共存するための計画を創造する活動が始まった。

こうした『ヒミング』の活動は、新しい地域力を「発見→計画→実現」するプロセスから文化力を育む試みといえる。アーティストの創造性によって埋もれている地域アイデンティティを発芽させるサスティナブルなアートプロジェクトという手法は、従来のゼネコン型パブリックアートとは異なり、新しいパブリックサービスを経験させてくれるものである。

絶望をエネルギーに『ゼロダテ』（2007年〜 秋田県大館市）

「老舗『正札竹村(しょうふだたけむら)』が倒産」――。

2001年7月3日、私の故郷である秋田県大館市の地元紙に、こんな衝撃的な見出しが躍った。街のシンボルとして市民に愛され続けた正札竹村デパートが、30億円超の負債を抱え自己破産申請したというニュースだった。

このニュースを知った瞬間、正札竹村のロゴが目に浮かび、そこで楽しく過ごした記憶が一瞬のうちにフリーズした。幼い頃から憧れていた特別の場所だった、僕らの正札竹村がまさか消えてしまう日がくるなんて、現実的にイメージできなかった。

高校を卒業してから、家業である製材所の跡継ぎにもならず、親に迷惑をかけながら自分の夢のためにがむしゃらに走り続けてきた。しかし心の中では、故郷の親や友人のことを想わない日は一日としてなかった。それなのに、生まれ育った街では帰るたびに何かがなくなり、風化していく。自分の心もそのときだけ都合よく時間が止まっていた。「大館しっかりしろよ」とつぶやきながら、自分にもしっかりしろと言いたくなる。

正札竹村のシャッターを下ろさせた責任の一端は、本当は街を出た自分にもあるのではないか。東京で生活し、故郷の現状を見て見ぬふりをしていたことに罪悪感を感じた。そんな複雑な思いを抱いたのは、私だけではなかっただろう。

奇しくも正札倒産の翌日、私は国際美術展「ベネツィア・ビエンナーレ」に日本代表として出展した報告に、小畑元(はじめ)市長を表敬訪問していた。このとき私は38歳。１９９８年に仲間たちと立ち上げたアーティスト組織「コマンドN」も3年目に入り、精力的に活動を続けていた。

プロデビュー作といえる『中村と村上―ソウル』展をはじめとして、私の作品には都市を舞台としたものが多い。1999年からは、秋葉原電気街に並ぶ千台ものテレビモニタをジャックする『秋葉原TV』を企画制作し、10カ国の26作家に映像作品を依頼した。なにげなく秋葉原の店舗を訪れたお客さんが、偶然その作品を鑑賞するという仕掛けだった。

2002年3月、『秋葉原TV3』のオープニングパーティに、私のファンだという若いクリエイターが作品ファイルを携えてアポなしでやってきた。彼こそが、後に『ゼロダテ』のリーダーとして大館で活躍することとなる石山拓真(たくま)だった。大勢のパーティ客の中で、お互いに同郷、しかも同じ高校出身だとわかり、驚きとともに一瞬で親戚に出会ったような親近感をもった。彼は北海道の大学に学び、東京のデザイン会社で働いているという。高校の教育実習では、私の作品を紹介したこともあるそうだ。

東京での出会いに少なからず運命的な何かを感じ、その翌日から石山はコマンドNや私個人のプロジェクトに顔を出すようになる。平日はデザイン会社で働きながら、夜や休日にウェブサイト制作やデザイン業務などを手伝う日々が始まった。

翌年の2003年、私は東京藝術大学の助教授に就任した。ベネツィア・ビエンナーレ展やそれまでの活動が評価されたこともあるが、個人的には美術教育の改革を現場から行いたいとの思いから、引き受けることにした。ベネツィア・ビエンナーレ以降、私はコマーシャルなアートシーンに対して疑問を抱きはじめ、制作の方向を地域の草の根的文化芸術活動へと一転させていた。

2004年、コマンドNは富山県氷見市で街の魅力を映像作品化するプロジェクト『氷見クリック』を立ち上げた。これは後に『ヒミング』という地域におけるアートプロジェクトへと進化する。氷見に足しげく通い、この街で人と触れ合うなかで、当然の流れとして「自分たちの故郷はどうなのか?」との思いがだんだん強くなっていった。

この時点で、正札竹村の倒産からすでに5年の歳月が経っていた。大館からはその後も景気のいい話が届くことはなく、正札竹村が人々の話題にのぼることも少なくなっていた。

だが、石山が私の研究室の助手となった2006年4月、のちに『ゼロダテ』誕生へとつながる第二の出会いが訪れた。私の幼なじみの息子である普津澤画乃新(ふつざわかくのしん)が、私を訪ねてきたのだ。彼はその前年に漫画家としてデビューしたばかりだったが、ひとり東京の自宅にこもって漫画を描くことに行きづまりを感じ、交友関係を広げたいと私のもとを訪れたそうだ。彼もコマンドNの活動を手伝うようになり、同世代の東京藝大の学生やメンバーたちと交流を深めていった。こうして世代の違う大館出身の三人のクリエイターが、東京で顔をそろえることとなった。

故郷のことは気になっていたが、私ひとりで何かを始めたとしても効果が薄く、もっと広がりを生み出すきっかけを探っていた。そもそもコマンドNを立ち上げたのも、東京で作家としてのメッセージをどう伝えていくかを考えると、ひとりの力では届かない領域があり、仲間と議論しながらイニシアティブをもって生み出すことが必要だと考えたからだった。その仲間は考え方や創造性がシンクロしやすい最小限のコミュニティ、社会にメッセージを伝播させるための最小単位であるべきだ。このユニットがプロジェクトやミーティングで意見を交換しあうなかで、一つひとつ街への創造的刺激を生み出していく

67

65

68

66

69

のである。

その意味で、三世代の同郷のクリエイターがそろったことは、創造的なシナジーを生み出すきっかけとなった。こんな偶然がなければ、『ゼロダテ』の始まりはもっと遅れたかもしれない。三人を中心に意見交換する関係ができ、お互いの世代間の差異や仕事への想いなどをぶつけ合いながら、そのかたちを広げていく可能性が見えてきた。原動力は、元気だった頃の大館の記憶と郷土愛。そして親や祖先を敬う気持ちと、いま動かなければ街も自分も何も変わらないことへの、切羽詰まった気持ちだった。

この頃、東京に住む同級生らからも「大館やばいんじゃ……」という声が聞こえはじめ、私たちも大館に対して具体的に何をするのか意見を交わすようになった。

ちょうどコマンドNが東京・神田で「KANDADA（カンダダ）」というアートスペースを持っていたこともあり、まずはそこで大館をテーマに展覧会をしてはどうかと考えた。石山が地元の同級生に現状をヒアリングすると、必ず出てきたのが正札竹村の話だったことから、「陣取りではないけれど、まずは正札竹村から始めないと大館は動き出さないだろう」という意見で一致した。

2006年12月28日、すっかり寂れてしまった大町商店街の中心で沈黙を守っていた正札竹村のシャッターが5年ぶりに開いた。土地と建物はすでに大館市が買い取っていた。そこで私、石山、普津澤の三人はまず市役所を表敬訪問し、小畑元市長に建物の内部を見たいとお願いし快諾をいただいた。市としても、倒産した正札竹村を買ったはいいが、その使い途をどうするか答えが出ていない状況だったようだ。

市役所で私たち三人は、地元新聞をはじめ多くの報道陣に囲まれた。正札竹村と中心市街地の問題について、地元の人々の関心の高さを実感した。東京藝術大学という肩書きや、アーティストが地元のために立ち上がったことにも、少なからず興味をもってくれたのかもしれない。

いよいよ正札竹村に足を踏み入れたときのことは、今でも鮮明に覚えている【66】【67】。第一印象は、「ここまで廃墟なのか……」。まさに愕然とした。天井や壁ははげ落ち、分厚いカビと腐敗臭が充満していた。屋上のゲームセンターでは、天井からそこら中にアスベストが落ちている。雨水でピシャピシャとぬれた床の上に、倒産の要因となった商品券が散乱している。じっとりと湿ったカーネーションの絵の包装紙の束、退社が打刻されていないタイムカード……ほぼ夜逃げに近かったそのときの様子が、生々しく残されていた。

それは東日本大震災でがれきとなった街に入ったときの、まわりが圧倒的に破壊されてどうしようもない身体感覚に近かった。そのなかで自分が生きていることが奇跡的な気すらしてくる。想定外の廃墟はかすかな希望を吹き飛ばし、絶望感と屈辱感、行き場のない苛立ちをもたらした。まるで心の琴線をまるごと破壊されたような経験だった。記憶の中の正札竹村と、目の前に広がる光景のギャップ。カメラのシャッターを押し続けることで、自分の理性と目の前の現実をなんとかつなぎとどめるのが精一杯だった。

外観からはまったく想像できない内部の腐敗した状態を経験したことで、それまで抱いていた大館の街に対するイメージが一変し、まるで街全体が廃墟化しているように感じられた。資本があった正札竹村でさえこの状況なら、商店街の小さな店舗はなおのこと、どうしようもない経営状況が続いていることが容易に推測できた。プライドが高いのが秋田の県民性だからなどと言っている場合ではとっくになかった。

半日がかりで正札竹村の内部をリサーチしてまわった。残留物を東京で展示したいという考えも浮かんだが、ただの懐かしさや興味本位だけで外部に持ち出すことはできないと思った。心の中が整理しきれない状態のまま、重く大きなものを背負って私たちは正札竹村を後にしたのだった。

正札竹村に実際に足を踏み入れるまでは、プロジェクトをどのように作っていくか、自分たちがどういう立ち位置をとるかについて、まだ手探り状態だった。しかし現状を見た後は、自分たちだけではとても解決できる問題ではないし、それだけではすまないと痛感した。これは大館だけではなく、全国の中心市街地における社会構造的な問題である。このまま何もせずに放っておけば、必ずスラム化してしまう。一度それが表面化すれば街全体のイメージが崩れ、本当のゴーストタウンになりかねない。リアルなイメージとともにそんな危惧を抱いた。

そこで、まず同級生を含めた知り合いの多くにその危機感について話した。しかしほとんどの者が、「生活が忙しいし、そんなこと言われても、うちの街はずっとそうなんだから」と完全にあきらめているようだった。「いまからじゃ無理だ」など、否定的なことを言う人ばかりで、しまいには陰口を言われたり、なにか言えばこちらが怒られたりする勢いだった。ただ、そうしたなかでも何人かの同級生や新たに出会った人たちからは、一緒にプロジェクトを作っていくことへ期待感が高まっていた。

正札竹村に入った2日後、年末の慌ただしい時期にもかかわらず、私たち三人の同級生を含めた30人以上が集まり、大館への熱い思いをぶつけあう場をもった。思えばこれが『ゼロダテ』の第一回実行委員会のようなものだった。枠にはまらないアイデアが出され、正札竹村の記憶をたどり話は尽きることがなかった。「やはり正札竹村は、閉店から5年経ったいまも大館の人たちの心に鮮明に残っていたと実感させられた」と石山。正札が廃墟化していたという絶望感が、『ゼロダテ』のエネルギーになっていった。

この年の大晦日には、大館神明社で初詣客に大館についてインタビューをおこなった。そのあとは日景温泉で皆でボタン鍋を食べながら企画会議をした。正札竹村を撮影した映像の作品化や、屋上看板や商品券などの展示プランも見えてきた。

このときにプロジェクト名もようやく決定した。プロジェクトの名前はくり返し使うことで新しい概念がじわじわと定着するから、とても重要である。『ゼロダテ』という名前は、市内を歩いているとき、あるホテルの看板にローマ字で「ODATE」と描かれているのを見て思いついた。0は「ゼロ」、DATEは、英語で「日」である。「オーダテ」を「ゼロの日」と読みかえることで「ゼロデイト」つまり「ゼロダテ」となる。私たちの街をもう一度、ゼロから見つめてみよう。初心にかえり、未来の大館を創造していこう。そんなメッセージがストレートに伝わる名前だ。胸の内で何度も繰り返すうちに、このプロジェクト名以外にない、という確信を得ていった。

「部分」と「全体」の新しい関係を模索した『nIALL（ニアル）プロジェクト』（2002～2003年　北海道帯広市）

「nIALL」とは「n」と「I」と「All」という三つの言葉をあわせた造語である。このプロジェクトの狙いを私は次のようにステートメントに書いた。

不確定要素「n」は、I（主体）とALL（総関網）により構成される従来的な世界像に干渉し、現実の社会循環に潜む問題の発掘からその解消にいたるまでの一連のシナリオを、有機的に生成する。

これだけだと分かりにくいかもしれないが、建築論や都市論における「部分と全体の関係」の考え方をアートプロジェクトに採用し、その生成過程をオープンソース化することで、これまで気づきにくかった新たな価値観を導いていく試みをめざしたものだ。

このプロジェクトはまず最初に、北海道帯広市で開催された「デメーテル」展で建築家の岸健太、メディアアーティストの田中陽明の二人とのコラボレーションとして発表した。このときはハウスメーカー十数社と共同し、4ヘクタールもの広さをもつ競馬場に街区を設計した。市民とのワークショップをくり返し行ったのちに道路を引いて区画を定め、各区画における住宅の敷地や間取りも1分の1スケールで設計ワークショップを行い決定していった。

北海道の住宅地は、なにもない土地にまず住宅展示場がつくられ、その周辺に街が生まれるというかたちで拡大するのが一般的である。そこでこのプロジェクトでは、街区の全体像と一軒の住宅を形成する木ねじ一本にいたる各パーツとの関係を、一からひもとき再構築していくプロセスを構想した。影響を受けたのはメタボリズム建築の考え方で、その生成プロセスに実体を与えることを試みたのである。ひとたびは「家」というかたちを取ったとしても各部品は次の解放を待っており、やがて別のかたちでリユースされる。『nIALLプロジェクト』はその全体的なプロセスを創造しようとしていた。

具体的には、ゼロから街をつくるにあたり「家」という単位ではなく、ドアだけだったり【68】、基礎だけだったりと、家の部品となる単位から街の全体の関係を設計した。協力してくれたハウスメーカーにも、住宅の一部分だけを実際に施工してもらった（東日本ハウスには、部分を見せるための住宅【69】を一軒まるごと建てていただいた）。これらは展示終了後に解体し、近隣でリユースできるよう最初から設定した。しかし現実に施主を探すのはなかなか難しく、これらの住宅パーツは後述する『湯島もみじ』プロジェクトの建築材料としてリユースすることになった。

部分と全体の関係に対するこのアプローチは、「個人の創造力と都市の創造力がシンクロする」という、私のアート・プロジェクトにおける根本的な制作テーマと通底している。私はその後も工業化住宅や都市を形成する標識や信号など、さまざまな部品の在り方を問うプロジェクトとしてこの考え方を発展させていった。

自宅をセリフビルドでリノベーションした『湯島もみじ』（2002〜2013年　東京都文京区）

息子が小学校に入学する際に、東京のどこに住めば息子の人生がよりよき流れになるのかを本気で考えた。その結果、日本で最も古い歴史をもつ小学校のうちの一つ、文京区立湯島小学校に入学させたいと考えた。そのためには当時住んでいた足立区から、文京区に引っ越す必要があった。

物件探しで困ったときに頼りにしている神田の建設業者、株式会社久保工さんに相談し、「湯島界隈の30坪程度の物件で、家賃10万円くらい」という破格な希望を伝えておいたところ、「中村さんが大家さんに自分の夢を語ったら話を聞いてくれるかも知れない」という、かなり特殊な物件を紹介してくれた。湯島1丁目にある木造一軒家で建坪も30坪以上あり、敷地はいわゆる旗竿地で四方向が住宅に囲まれていた。つまり道路からは家の全貌が見えない環境だった。道路から細い通路を通った先で廃墟化していた住宅の前に、もみじの木が一本スッと象徴的に立っていたのが印象的だった。

かなり限界に来ていたこの住宅（いわゆるZ物件）が気に入り、ここをリノベーションして住む、というプロジェクトを計画した。プロジェクト名は『湯島もみじ』とした。これは家の名前でもあり、家の前に立っているもみじの木に光をあてて育てるように、この家の建築プロジェクトを考えて行きたいという想いからつけたものだ。契約時に大家さんには施工費を交渉し、改修費のうち３００万円を拠出してもらった。私も同額程度を出してリノベーションが始まった。

リノベーションにあたり、設計は日大理工学部建築学科の佐藤慎也さんに、構造は同じく日大の岡田章さんにお願いした。基本はセルフビルドで作り、学びながら施工をしていくことを考えていたが、実際に設計、施工のすべての過程が教材となった。

このプロジェクトの最もユニークな点は、先の『nIALL（ニアル）プロジェクト』で生まれた、柱やパネルなど家一軒分の建築資材をリユースしたことだ。これらは帯広から一度秋田の工務店に入れ、佐藤さんの設計図をもとに加工してもらってから湯島に運び入れた。その他の建築部材もすべて北海道から秋田経由で東京に運搬した。運搬コストはずいぶんかかったが、何かを創り出すというモチベーションはそのぶんだけ高まった。

リユース資材は新品の材料ではないので、変なところにほぞ穴が空いていたりするのだが、それだけに組み上がった時点ですでに愛着がわくような雰囲気があった。他方、一度スケルトンにしてからゆがんだ柱や梁をジャッキで持ち上げ、基礎を打ち直すという大がかりな工事にもなった。

施工しながら住んでいたため、その間はトイレのドアもつけないままで、寝室も移動しながら生活した。一、二階を吹き抜けにして大きな壁をつくり、ガードレールを室内の手すりにした。これらの施工のほとんどは自分と学生で行い【70】、どうしてもというところだけ大工さんに入ってもらった。このとき『湯島もみじ』に参加した学生や関係者は、いまもみな面白い活動を展開している。教育の場として家を開放したことが実践的な学びとなり、そのリアリティが自己発見につながったのだと思う。この『湯島もみじ』プロジェクトは、その後の地域に入っていくサスティナブルなアートプロジェクトの原型となった。

「神田」×「ダダイズム」のギャラリー オルタナティブスペース『ＫＡＮＤＡＤＡ』（２００５〜２００９年 東京・神田錦町）

基本的に自邸だった『湯島もみじ』では私の個人制作とコマンドNのプロジェクトが同じ場所で行われていたため、生活への負担が徐々に増えていった。そこで自宅とは別に、コマンドNが事務所兼ギャラリーとして展開できる物件を探すことにした。このときの条件も「神田地域で天高4メートルで30坪、賃料は10万円以下」というあり得ないものだった。『湯島もみじ』では破格な条件で契約が成立したので、少しいい気になっていたのである。しかしこのハードルを下げずに探していると、神田錦町にある老舗印刷会社、精興社の一階に理想的な物件が現れた。この物件も久保工さんの紹介だった。ただしここは、広さは申し分ないものの、家賃が問題だった。さいわい精興社の社長さんはアートに理解があり、とても好意的に私の話を聞いてくれた。そこでギャラリーを本格的に開設する前に実際にその空間で展覧会を行い、一種の「シュミレーション体験」をしてもらうことを提案した。工事用の白いクロスで仮設的に間仕切りをし、この仮設ギャラリーで私の個展を開催した【71】。オープニングパーティも行い、ただの空きスペースだった場所を文化的に活用できることを、実際の空間で見せたのである。この展覧会でその後の活用イメージが伝わったのか大家さんとの信頼感が増し、CSR的な位置づけということで賃料も破格に安く契約させていただいた。こうして大手町に隣接する神田錦町で「天高4メートル、30坪で賃料10万円以内」という難題もクリアできた。

71
70
72
73

この場所の名前は「神田」と「ダダイズム」をかけて『KANDADA』とした。DADA→NEODADA→KANDADAという美術史の文脈を勝手につなげたのである。ちなみに精興社の社員の方がギャラリー内で電話しているとき、「いまどこにいるの?」「KANDADA(神田だ)」「だからどこなの?」「だからKA・N・DA・DA!」と大声で言っていたことがあり、とても印象的だった。このときの施工もセルフリノベーションで行い、2005年にオープンした【72】。最初の展覧会は、アート・プロジェクトの作品を展開しているアーティストに焦点をあてた「プロジェクトコレクティブ」という企画を中心に、メンバーそれぞれの展覧会を他のメンバーがサポートする、というかたちで運営を行った。

この頃になるとコマンドNの活動も十年を迎えており、ボランティアベースでの活動もさすがに苦しくなってきていた。さまざまな地域でのアート・プロジェクトの展開が深まっており、これらのプロジェクトベースの制作が中心になっていた。しかしコマンドNを法人化するという考えは、初期段階ではあえてしなかった。どのような体制にもシフトチェンジできる可変性や実験性を重視していたからだ。

しかし、各地のアート・プロジェクトが持続性をもちはじめると、組織としてそれらのプログラムを安定的に走らせる経済的体力をもたなくては、ビジョンを実現する自立性が育ちにくいと思うようになった。また、実際に事務所を維持する経費や事業のコストも増していった。しかもアート・プロジェクトというものは公益性が高く、基本的に観衆は無料で鑑賞するような企画となるため、収入は助成金や協賛金などに頼るしかない。これらのプログラムをマネージメントする人の生活を経済的に支えることなど、とてもできる状況ではなかった。そもそも初期のコマンドNは生活のためではなく、一種の社会改革を起こすために活動していた。事業収益を上げるためにプログラムをつくることなど、微塵も考えていなかった。

とはいえ、このままコマンドNの活動を展開していっても、先の広がりがないことも見えていた。そんなときに始めた『KANDADA』というオルタナティブスペースの運営は（その後に「アーツ千代田3331」として実現したような）アートセンターをつくるための動機と経験を与えてくれた。

ちなみに『KANDADA』のあった場所はのちに写真家の池田晶紀さんたちがリノベーションをして、ギャラリーやサウナ、学校などのある神田の新しい居場所『神田ポートビル』へとさらに生まれ変わった。自分で開拓した場所がこうして生き生きと使われているのを見ると、嬉しく思うと同時に、アート・プロジェクトとしての方向性や起承転結のプロセスが間違っていなかったことを実感する。

「無目的な箱」という思想を受け継ぐメタユニット『M1プロジェクト』（2009年〜）

築80年の木造住宅を再生する『湯島もみじ』プロジェクトをセルフビルドで行って以後、「リノベーション」という概念によって、たんに「再び使うこと」以上の問題意識を構えることができるとわかってきた。言い換えるなら、「作り手／使い手」という対立項がもつ非対称性について、もっと自由な視点を取ることができるという可能性である。

リノベーション以前の建築には必ず「作り手」がおり、「使い手」はそれを渡された後に、いわば事後的に登場する。作られるプロセスこそがモノのあり方を決定づける大事な変化の段階であるにもかかわらず、イニシアティブ（主導権）は「作り手」の側に偏っており、完成したモノをたんに「使い手」に引き継ぐという一方通行な形態をとる。しかしリノベーションの事例では、あらかじめ存在するモノの存在を「作り手」と「使い手」の双方にとって平等なスタートラインとして、あるいは対等に向かい合うためのテーブルとして捉えることができる。そこでのイニシアティブの重心は、お互いのコミットメントによってどちらにもバランスしうる。ではリユースの場合はどうだろうか。これが『Ｍ１プロジェクト』【73】という共同研究での私の問題意識だった。

リユースとは、プロダクツとして社会に出た「モノ」自体から「製品」というカテゴリーを外した上で、再びそれを「リソースそのもの」として読み直し、その価値を組み立て利用するということだ。こうしたリユースの場面では「作り手」が「使い手」とその方向性を重ねることが必要となる。このときに必要な「使う側の構想力」とは、「作り手」であると同時に「使い手」であるようなイニシアティブそのもののことである。リノベーションが「場所」「空間」に根ざした価値の再発見や再構築という行為であるのに対して、リユースは製造物という「モノ」を軸とした価値の再発見、再構築となる。

だがここでも、「作り手」と「使い手」との間の非対称性には大きな距離がある。社会的な存在からいっても（住宅メーカーなどの）「作り手」のスケールは個々の「使い手」より遥かに大きい。そこでこの研究ではリユースのもつ可能性と、その時点で可能になるユーザー・イニシアティブのかたちを探ることを目的とした。

この『M1プロジェクト』の名称は、積水ハウスが1971年に住宅産業に参入した際に発売した「ユニット住宅」の第一弾、「セキスイハイムM1」から採ったものだ。

1950年代から60年代にかけての高度経済成長の時代には、労働構造の変化や都市への人口集中を背景に、住宅量不足が社会問題とされていた。そうした状況を背景に、それまで建設に直接関係のなかったさまざまな企業が、住宅建設の分野に参入を始めた。積水ハウスもその一つだった。1969年に社内に住宅事業推進本部が設置されると、東京大学の内田元亨研究室にいた大野勝彦の博士論文「部品化住宅論」を参照し、大野を中心にしたディスカッションが行われた（大野の指導教官である内田も、住宅を工業部品が集約されたパッケージとして捉える「住宅産業——経済成長の新しい主役」という論文を書いている）。

こうした議論の中から「ユニット住宅」という方針が構想された。「セキスイハイムM1」は1970年10月の「東京国際グッド・リビングショー」で発表され、その合理的な設計と破格のローコストが注目を集めた。初期型のM1からM2を経て1975年にM3が開発された後、現在【論文は2009年】までにシリーズ総数約480万ユニットが生産されている。この「ユニット」という空間構成技術によって「住宅」がクローズドな「プロダクト世界」からオープンになり、これまでは住宅に限定されていた工法的な価値が、その他の用途にも開放された。結果として「ユニット」という考え方は住宅以外の住環境をコントロールするための「道具」となった。こうしたユニットの思想を大野の「部品化住宅論」の原点まで立ち返り、本来の「環境構成エレメント」として有効に活用される分野を開拓することが『M1プロジェクト』の目的だった。

このプロジェクトを展開するうちに、大野さんがこの論文で唱えた「無目的な箱」というオリジナルビジョンが送り出された世界と、ユニットという技術との間にはまだまだ未解決な課題と可能性があることがわかってきた。それはオリジナルビジョンが提出された1970年の時点では想定されていなかった展開だった。たとえば環境問題に対する一つの回答として考えてみると、SDGsのような社会的な共通目標を掲げるなかで、空間構成の一単位としてユニットを捉えてリユースしていくことは、都市の新陳代謝に新しい選択肢を与える新たなるメタボリズム建築のかたちとも言える。これまでの「作り手」と「使い手」との社会的な非対称性を乗り越えるかたちで、きたるべきユーザー・イニシアティブが構想されつつある。それらの実現へ向けて「無目的な箱」にかかわる試行は継続されるべきである。

（この項は、住宅総合研究財団研究論文集に収録された中村の主査論文「ユニット化住宅の再活用可能性についてのスタディ——クローズドな技術のオープンソースへの転換をめざして」の一部を再構成した）

「別のセンサーで見えてくる」——赤瀬川原平さんとの対談から

1964年に制作された赤瀬川原平さんの『宇宙の缶詰』が完成する前年、つまり宇宙が梱包される前に私はこの宇宙に生まれた。読売アンデパンダン展やネオダダの前衛芸術がゴールドラッシュを迎え、ハイレッド・センターが帝国ホテルでシェルタープランを決行し、内科画廊が封鎖され、東京オリンピック開催で浮かれる街で銀座の路上が「BE CLEAN!」されたとき、クリストがこれまでよりいっそう大きなモノを梱包しようとしていたとき、小さな蟹缶で宇宙が梱包された。この梱包以降、なんだか世界がそっと「逸脱」したように感じるのは私だけだろうか？　現実がさらに別の世界と繋がっているのではないかと、宇宙を想像するような果てしない気持ちになる。このとき同時に、小さな鉛筆に日の丸がついている絵を描いていた赤瀬川さんの姿を想像してしまう。

１９９７年に上野の森美術館が企画した『眠れる森の美術』展で、赤瀬川さんと対談したことがあった。その締めくくりの言葉として、赤瀬川さんは次のように語っている。

「なんか、エネルギー理論ってありますよね？　物質を壊すとモノがなくなる。しかし、エネルギーや光になってどこかにいく。そこで、また光がいろんな融合すると物質になる。なんかそういうものなんじゃないかなという気がする。芸術作品とは、永遠に人間がいる限りあるかもしれない。強いものと弱いものがあって、形骸化したものは、そこからエネルギーが出ちゃうっていいますか、それを僕の場合は、なんか路上で探している、見ている。物質だったモノが光に転換したっていいますか、そんなようなことが芸術とか文化の社会にもある気がするのです。無くなりはしないけど、見えなくはなるけど、別のセンサーで見えてくるっていいますか……」

そんなふうに赤瀬川さんは、少しはにかみながらボソボソと話してくれた。物質は、見えないエネルギーや光に循環していく。物質がなくなってもその存在は、「別のセンサー」を使えば見えてくる。いったい誰がどこでその「別のセンサー」をもっているのか？　赤瀬川さんは、どんな「別のセンサー」をもっているのか？

「純粋」な自分と向き合うことで、「切実」な表現や行動が始まり、それが「逸脱」した価値となるとき、始めて「芸術」としか言えないエネルギーが生まれるのではないか。物質を超えたエネルギーを宿らせるのではないか――これが芸術に対する私のいまの基本的な考え方である。

　これを赤瀬川さん的に読みかえると、物質や人間の作為性が衰え、彼が主唱した「超芸術トマソン」のような「無為の力」の状態が感じられたとき、自然の力に委ねるような姿勢が自分を純化させ、「老人力」のように力が抜けてきたからこそ発揮する「切実」さが宿り、因果律により高い確率で喚起される「偶然の力」で何かを発見する観察力、つまり「別のセンサー」が稼働する。見えないモノが見えるようになり「逸脱」が起こる。そこに芸術としか呼べないものが宿りはじめる。

「別のセンサー」を「もう一つのセンサー」つまり「オルタナティブ センサー」と読みかえると、さらに理解しやすくなる。オルタナティブとは、新しいものを発見・創造しようとする「純粋」な姿勢である。規制の価値観を、もう一つ別の考え方で読み取り直し、新たな選択肢を生み出すことである。それは、まさしく赤瀬川さんの哲学そのものと言える。

　規制品を梱包するだけで「もう一つ」の存在を見いだし、千円札を絵で描くだけで裁判になるほど社会的価値観を揺さぶり、老人の弱さを「熟した力」と読みかえ、無目的なものに「もう一つ」の視点を与えるだけで批評的息吹を与えた。そんな「別のセンサー」つまり「オルタナティブな精神」を抱くことで、見えないものが見えるようになる。形骸化した物質から光のように世界に解き放たれた、さまざまなエネルギーを感じとることができてくる。

『宇宙の缶詰』は何個かあり、お互いを梱包しあっている。缶詰の内側、つまり梱包できないまま残った「蟹缶のラベル側の空間」も、他の缶詰に梱包されることで宇宙の仲間入りをしている。『宇宙の缶詰』がお互いを梱包しあうように、この地球上、いや宇宙すべてのそれぞれの存在は、お互いに相補って存在している。そのことを蟹缶は無言で示唆している。「別のセンサー」の感度を高めろ、「オルタナティブな精神」をもてと私たちへ、地球、宇宙へのメッセージを投げかけている。人類の傲慢さを捨て、「老人力」を抱き、自然界の生態系を相補うように関係を築け、といっている。

蟹缶の内側つまり宇宙の外側には、赤瀬川さんの「大和魂」が小さく圧縮されて生きている。その魂が私に、「別のセンサー」の純度と感度を高めろと今日もささやいてくれている。

Ⅱ　アーツ千代田　３３３１

千代田区外神田6丁目、旧名神田五軒町。「アーツ千代田 3331」の誕生にあたり、私たちと千代田区との接点になったのは、この「場」だった。

1
2
2

3
30
区域内
神田
五軒町
祝天皇陛下御即位記念
奉
神田明神
5
4

6
6
7
3331
ARTS CYD
3331
ART
FAIR
3331
ARTS CYD
9
9

10
10
11
12

13
13
13
14

15
17
16
17

18

19

19

19

20
GALLERY
彫体刻感展
22
20
23
21
Sagacho
archives

1 空撮の写真（遠景）
［撮影］池田晶紀

アーツ千代田 3331を空から見てみる。カーペットのようにビル群がどこまでもひしめき合っている所に、ぽっかりと緑の空間が空いている。1923年の関東大震災の復興計画でつくられた52ヵ所の震災復興小公園の中の一つである練成公園だ。大きなクスノキが象徴的に見えてくる。公園の下には、当時のガレキが埋められている。さらに第二次大戦の東京大空襲で二度目の焼け野原になり再度復興してきたエリアだ。その意味でこの学校と公園、周辺環境の関係は、都市計画の観点から東京の歴史的アイデンティティが見えてくる大切な場所といえる。

2 空撮の写真（近景）
［撮影］池田晶紀

2010年、アーツ千代田 3331開館によって、学校と公園の関係が接続され更新されたことは、約90年前の復興計画をつくった先輩達の想いを継承するとともに、今後予測される、東京での大震災への防災を考える上でも重要な意味を持っている。公園の大きなクスノキは、この歴史的背景を無言で伝えている。あるとき、植物学者の方にこのクスノキの事を聞いてみたところ、まだ、樹齢的には約50年で子供であると言っていた事を思い出す。

3 神田祭での神酒所
4、5 公園の花壇の手入れ
《池田晶紀ポートレイトプロジェクト》2012〜

公園入り口には、五軒町町会集会所と防犯・防災センター、公衆トイレがある。町会の集会所は、神田祭においては神酒所と一変し400年を超えるお祭りを支える拠点となる。公園の芝生、花壇は、五軒町の町会員によって丁寧に手入れされている。何気ない芝生や花壇に見えるが3331のイメージをつくっている大切な要素である。四季を感じるように植生が計画され愛情もって育てている行為が年間を通じて表現されている。その意味では、単なる公園ではなく、地域コミュニティを育む植物園のようであり、3331モデルの地域力を地域住民によってつくり出しているとも言える。

6 リノベ前の学校と公園が分断している写真
7 リノベ後の学校と公園をつなぐデッキ写真

3331を建築的に特徴づけているのが公園と学校をつなぐデッキだ。このデッキのイメージは、練成公園を初めて訪れた2006年に発想している。当時の練成公園は、暗く光が入らないどんよりとした雰囲気だった。砂場には網がはられ、遊具は錆びていて、喫煙者と路上生活者の利用が目立ち、子供を連れて遊びに行く安全な気配はなかった。公園からの学校へ入る入り口があるかと思っていたら、フェンスで完全に遮断されていた。学校に入るためには、東門から入るしかなく、顔が見えない空間構成になっていた。震災復興小公園当初の計画である学校と接続する公園の計画とは、異なった構成になっていた。学校と公園を大きなデッキでつなぎ閉じた学校を解放し広いステージをつくるイメージだ。

8 デッキでくつろぐ利用者

デッキは、ステージであり、コモンスペースとして安全であり解放された空間を演出する。実際、3331のデッキは、コミュニティスペースの窓を全て開けてデッキと室内が一つの連続空間として使用できる。さらに言うと、学校裏から自動車を入れてメインギャラリーを通り、デッキに展示できるように空間を設計した。デッキの素材は、間伐材とリサイクルプラスチックを混合した新素材を採用した。木材のような風合いで、ダンスをしても子供が裸足で遊んでも安心で経年劣化しにくいのが特徴だ。広い階段では、お昼のお弁当を広げたり、本を読んだりと階段の段差を活用する使用感をイメージした。集合写真を撮影するときは、決まってデッキの階段に並ぶ。

9 公園、ウッドデッキ、エントランスが一体化している

デッキから、中に入ると正面がメインギャラリー、右側にカフェ、左側がコミュニティスペース。正面左が受付とショップとなっている。通常、美術館などの文化施設は、権威的な空間構成で敷居を高くするように設計しているが、3331では真逆で、敷居を下げるように計画した。道路↓公園↓デッキ↓コミュニティスペース↓ギャラリーという動線の流れを視覚的に妨げる壁を設置しないように設計した。つまり、道路から、メインギャラリーの中を直接見る事ができるのだ。パブリックとプライベートの境界をできるだけ感じさせないように日常の延長線上で体験できるようにしたことが、今までにない新しい文化施設としての設計と言える。

10 コミュニティスペースの模型
［写真提供］佐藤慎也＋メジロスタジオ

11 コミュニティスペースで行われた同窓会

コミュニティスペースを設計している時に、練成中学校の同窓生会長さんから、同窓会としては、百人くらいの集まりで同窓会をすることがある、この場所には、百人くらい入る感じがしない、もっと広くしてください、と指摘を受けたことがある。そこで、建築チームに頼み、模型上で百人の人間をつくり正確に配置し説明をしたところ、同窓会の会長さんは、それでも実感がわきにくいとは言いつつもなんとか納得してくれた事があった。実際、開館し毎年同窓会を開催しているが、その時の議論のおかげで、百人規模での使用感を基準にコミュニティスペースの運用オペレーションが行いやすくなった。つまり、設計段階から地域住民との意見交換を頻繁に行い設計に取り入れた事が、使い方だけではなく、その後の信頼関係構築に大きく役立ったわけだ。地域住民の意見を取り入れ、運営方法やプログラムの設計と建築空間の設計を同時に行ったことが、3331モデルの構造をつくっていく大切なプロセスだったと言える。

12 コミュニティスペースでの神輿展示風景

リノベーションでは、その地域のゲニウスロキ（地霊）を感じとり、文化、風習など身体的文化因子を丁寧に読み取ることが大切。特にフィールドワークから見えてくる現在の地域課題とその解決方法をイメージしプログラム設計することや、収支計画を含め具体的なプロジェクトとして形に落とし込むこと、つまり、ハードとソフトを同事に創造していくプロセスが重要である。

13 構造壁を解体
14 リノベーション前のホール
15 メインギャラリーの真っ白な空間
16 ギャラリー壁裏の写真

メインギャラリーの設計は、3331の中心的リノベーションだった。まず、コミュニティスペースで間仕切りのない空間をつくるために、構造壁をメインギャラリーに移設した。ギャラリーの壁をいかに仕切るかは、空間性を規定するためアーティストにとっても表現意欲と直接的に関係する。結果、構造壁を移動することで、思い切った空間構成をすることができた。壁の厚みは、合板と石膏ボードで約60ミリの厚さにした。これは重く大きな作品でも展示できる事と、壁面の平面性と堅牢性を高めるためだ。また、壁面裏側に人が通れるような空間をもうけた。これは、モニターや電気的な配線の処理をスマートにするため、壁に直接穴をあけ、ギャラリー裏側で処理できるようにするためである。壁の表面処理は、高額なクロス張りではなく石膏ボードに直接、白塗装で仕上げている。クロス張りは、木ねじを打ち込んだ穴の跡に繊維が固まり、いくらパテ処理をしてもその痕跡がのこってしまう。ただのボードに塗装仕上げは、使用した後には必ずパテ処理と塗装をし、現状復帰を必須にすることで、絶えずニュートラルな白い壁を保つことができる。床の仕上げにはコストをかけた。セルフレベリングという塗装方法で、下地処理を何層もして、塗料自体の自重で水平に近づける塗装を行った。結果、堅牢性が高まり、輝く白さを生み出す事ができた。定期的に磨くことでそのスペックを保つことができる。照明は、元々あった蛍光灯の器具をそのまま使い、寒色、暖色を混ぜるように展示照明の色温度を調整した。また、レールダクトライトの照明効果を高めるため空間を細かく区分し、スイッチのオンオフができるように配線設計を行った。

17 施工室作業風景

元々、食堂やホールだった場所がどの美術館にも引けを取らないハイスペック、高機能なギャラリー空間にリノベーションしたことが、3331モデルのコンセプト設計としても核心的なポイントであり、アートプラットフォームとしての文化施設のブランディングをうみだしている。ここでの高機能とは、豪華な設備という意味ではなく、どんなアーティストの要望にも応える事のできるタフな空間であり対応力の高い利用規程の事である。いくら潤沢に経費をかけた豪華な壁でも、作品展示の自由度がない利用規程では、ハイスペックとは言えない。また、施設運営上においても3331モデルの機動力を高めているのは、自社内施工チームの存在である。専用の木工設備のある工房を持ち、日頃の館内メンテナンスから展示計画、施工までの一貫した制作体制を取っていることが自分たちでつくる3331を支えている。

18 佐々木耕成展での展示

3331 Arts Chiyoda 開館記念 第2弾 佐々木耕成展「全肯定／OK.PERFECT.YESOK.PERFECT.YES.」

19 屋上オーガニック菜園収穫祭

20 体育館アートフェア

3331 ART FAIR 2019 開催風景。体育館はスポーツ利用以外に、大型イベントの会場としても活用されている。

21 佐賀町アーカイブ

［写真提供］佐賀町アーカイブ COLLECTION plus,1 大竹伸朗展［撮影］杵嶋宏樹

22 アキバタマビ21

［写真提供］アキバタマビ21 第54回展「日常のフィクション」展示風景

多摩美術大学が2階ギャラリーフロアで運営するオルタナティブスペース。卒業生の自己プロデュースによるグループ展やシンポジウムなどを開催し、卒業後のキャリア形成支援を行っている。

23 アーツカウンシル東京 ROOM302

［写真提供］公益財団法人東京都歴史文化財団アーツカウンシル東京［撮影］冨田了平

アートプロジェクトを担う人材を育成するプログラム TARL の授業風景。

第3章　構想から立ち上げまで

街の中にアートセンターをつくる

千代田区外神田6丁目、旧名神田五軒町。「アーツ千代田 3331」(3331と略) の誕生にあたり、私たちと千代田区との接点になったのは、この「場」だった。

千代田区のホームページによると、この界隈には江戸時代、上総久留里藩黒田家上屋敷 (千葉県君津市)、下野黒羽藩大関家上屋敷 (栃木県大田原市)、安房勝山藩酒井家上屋敷 (千葉県安房郡鋸南町)、播磨林田藩建部家上屋敷 (兵庫県姫路市)、信濃上田藩松平家下屋敷 (長野県上田市) と、五つの大名屋敷が並んでいたという。五軒町という名の由来はそこにある。

この街の中心部に、2005年に閉校になった旧練成中学校の校舎と、それに隣接する練成公園という、区にとっては遊休の不動産があった。区が所有している建物ではあるが、使い方が決まらぬままになっていたのだ。この場所をどのように利活用していくのかが区にとって大きな課題になっており、大手デベロッパーから地元の開発事業者まで、いろいろな企業がこの土地に高層の商業施設を建てたいという動きが政治的にも見え隠れしていた。

私たちは、ちょうど同じエリアで1997年からアートプロジェクトをつくるアート集団である「コマンドN」を立ち上げていた。東京のローカルシーンの中でアーティストたちが表現活動を展開する新しいアートのフレームをつくりだすために社会実践を積み重ね模索していた。アートというクリエイティブな思考方法とその活動性から生まれてくる社会関係資本を蓄積していくための拠点を構想していた。その意味では、このエリアに「アーツ千代田３３３１」ができたのは偶然ではない。私たちの側からこのエリアに仕掛けていったと言える。

「コマンドN」（コマンドNについては第2章で詳説）は、このエリアでシェアオフィスをベースにギャラリーを運営し、街でのアートプロジェクトを企画制作する活動をしていた。３３３１の真裏で上野と秋葉原に挟まれたスキマのようなエリアに地下20坪くらいの倉庫をオフィスにし1階の３坪ほどの小さなスペースをギャラリーにリノベーションして活動していた。そこは、都市部に生息するアーティストたちを菌床栽培するような秘密基地的雰囲気があった。東京ローカルのアートシーンをつくり出すための新たなネットワークが生まれ、小さいながらクリエイティブハブ的機能を抱き、都市の息吹や創造力を喚起するアートプロジェクトを数多く展開していく。結果、千代田区や東京というエリア全体を深く広く読み取れるようになり、街の中でアート活動を展開して行くということの本質的意義が、その課題と必要性と共に見えだしたのだ。つまり、「場」をつくり、街にその「場」を開いていくことの意義を実感し始めていた。コマンドNの活動の先には、新しいアートセンターの「場」としての可能性をイメージしていた。

私の考えるアートセンターの構想は、行政がドンとお金を出して、美術館や既存の文化施設を作るという考え方とはまったく違うものだった。遊休状態にある既存の建物を利活用し、指定管理とは、お金の流れが真逆な自律経営を行う公民連携の文化施設である。お宝の作品を眺め保存する場所ではなく、そこに暮らし、働く区民や利用する人々の生活が充実していくように創造的な活動性を生み出す街に開かれた場所である。施設を所有する行政としては、遊休施設から収入を生み出す区民のための文化施設に生まれ変わり、しかも区のガバナンスがちゃんと保てるのであるからこれ以上の事はない。

もう少し紐解くと、私は、公共的な、アートの在り方、特に従来のパブリックアートに疑問を持って制作活動を続けて来た事もあり、貴重な作品、つまり品としてのアートの存在を高めるシステムだけではなく、作品をつくり出すアーティスト自身の創造力や行動力・コミュニケーション力・表現力など生きていく力そのものをつくり出すアートの在り方を志向していた。言いかえると「多様な価値観を導くアートプロジェクトを地域と共につくり続ける」システム構築を必要としていた。アートセンターがそこで生まれ出る表現のメディアとして機能していく事をイメージしていた。それを実現するためには、市民が趣味で創作する表現からプロのアーティストがつくる専門的な表現まで、幅広く寛容に受けとめるオペレーションのしくみが必要であり、しかも、経済的に自律した事業として補助金に頼らず運営する経営力が必要であった。内容的にもアートのためのアートではなく、産業、地域コミュニティと密接な関係を構築し新しいオルタナティブな価値を創造していくアートセンターを描いていた。コマンドNの活動は、そのビジョンに向かうための小さなアクションを実践していくクリエイティブプロセスであった。

公と民が連携するための流れをつくる

コマンドNと、個人での作品制作活動が展開し海外でも多くの展覧会に参加させてもらうことを通し、日本の地域社会に文化・芸術活動がなかなか馴染んでいかない状況を深く感じるようになってきていた。いつまで経っても、「芸術は、爆発だ！」と岡本太郎の言葉のような偏見でアーティストは見られていて、「早く爆発を見せて」と言わんばかりであり、美術館と地域社会の深い溝は、一向に埋まらない。結局、市民は、アートとは、美術館やギャラリーにあって、私たちには関係のないモノ、と固く心を閉じてしまっている。このアート界のガラパゴス状況を打破するためには、新たな自分たちのアートをつくり出す経験が必要であり、地域社会に開いた「場」＝文化拠点を生み出す必要に迫られていた。

あるとき、千代田区の役人に「区内に新しい運営の考え方で街に開かれた文化施設を作るような政策の流れを起こすことはできないだろうか」と私の考えているアートセンターの構想を話してみたことがある。半年ぐらいした２００６年の暮れに「区の遊休施設を再活用するプロジェクトを今度始める。実行委員になってくれないか」と相談された。それが「ちよだアートスクエア構想実施委員会」だった。千代田区文化芸術基本条例の具体的な内容を計画していくために検討会と実施委員会が設置されたのである。そこでの議論をまとめ千代田区に提言した内容が千代田区文化芸術プランを策定していくときの骨子となっていく。私がアートセンターの事を相談している時は、「区の遊休施設を再活用する」ための最初の検討委員会が開かれていた時であったのだ。その検討会での議論を実施する上で具体的な施策に関しての意見交換をして欲しいという事であった。この実施委員会で現実的な施策を有識者・区民代表の方との議論を重ねた事で、千代田区としては、遊休状態になっている中学校を改修して文化施設にするという事業を具体的に展開するための区民からの声を形にすることになった。

しかし、この「ちよだアートスクエア構想」の実施委員会は、当初まだまだ、漠然としていて、文化施設をつくった経験のある人は、委員にはいないこともあり、どこで何をするか、現実的には、まだ何も決まっていなかった。

実施委員会には明治大学商学部教授の西野万里先生をはじめとする識者が集まり、千代田区の中でアートスクエアの構想を実現するためには、どこで何をすべきか、どういう条件でどのような運営をしたら良いのかという議論を一年間続けていった。この委員会では具体的な場所の検討も行い、旧練成中学校のほかにもうひとつ、旧今川中学校が最終候補に残った。

実際に現地をみた結果、私は練成中のほうがいいと思ったのだが、委員のなかには今川中のほうがいいという人たちもいた。

練成中のほうがよいと主張した私の論拠は、次のようなものだった。

今川中は、JR神田駅、日本橋を背景にしておりアートスクエアをつくる立地的にはけっして悪くない。けれども街のイメージとしては、何かを作るという「モノづくり」のイメージが弱かった。一方、練成中はすぐ近くに秋葉原という電子パーツからアニメ産業まで世界的「モノづくり」の中心地をかかえている。また、東京における文化芸術の中心地、上野の杜に向かうラインの途上にもある。そうした「文化の流れ」の中でみたとき、圧倒的に練成中のほうが文化施設をつくる場所にふさわしい。と私は主張した。

協議の結果アートスクエアの候補地は旧練成中学校に決まり、具体的な事業プランについてはコンペでアイデアを募ることになった。実施委員会は、区への提言をまとめ役割は終えたが、公と民が連携する新たな流れを生み出すこととなり、3331モデルを考えて行く上でもかなり重要な議論の場となったといえる。

私自身もやがてそのコンペに参加することになるのだが現実的には、リーマンショック前の相場で坪2万円というレートのもとで、文化的な活動を起こすだけの経済力は私たちにはなかった。大手のオフィスビルになると、千代田区では不動産の相場は坪2万円を超え、3万円近くなる。たとえ2万円でも大変な金額である。コンペを行う千代田区の側としても、一般の事業者を入れて旧練成中学校を商業施設とし、不動産収入を上げていくという方向には不安があった。その意味でも学校という地域コミュニティの核を、文化施設にするという考えは、街の文脈に沿った計画であった。最終的に私たちがコンペに勝つことができたのは、たとえ不動産収入が下がったとしても、自律的経営がギリギリで成り立つならば、単純にお金には換算できない文化資本を大切にした区民に開かれた文化施設、という点で千代田区側と意見一致できたことが大きかった。言い方を変えると経済資本ではなく社会関係資本としての価値を認めたのだ。お祭りを中心に構築される人と人の結びつく信頼感や、創造的活動から生まれる協調性には、お金だけで解決することはできない新たな価値がある。子供たちの将来を考える上で、「生活の質」を高める大切な生活環境をつくり出すことができるのだ。

世界的な流れの中でも、いまは新たな文化施設の存在が地域の社会関係資本を構築する有効な拠点であり、結果、交流人口を増やし経済効果を生むメリットをもたらす動きが起きている。たとえばテート・モダン（イギリスの国立近代美術館）が建っているテムズ河畔のサウス・バンクは、もともとロンドンのなかでも、きわめて危険な地域だった。ところが、あれだけの巨大な美術館を設計することで、このエリアに全世界の人が足を運ぶようになり、街の流れが一気に変わった。単純に不動産をオフィスビルや商業施設にするだけではなく、そこに美術やアートの文脈を入れ社会関係資本を構築することによって価値を逆転させるという、大きなスケールの動きが世界的に起きているのだ。

事業主体となる合同会社「コマンドA」の設立

「ちよだアートスクエア」事業の運営団体公募には、コマンドNのメンバー４人（中村政人、鈴木真悟、宍戸遊美、石山拓真）で合同会社コマンドAを設立し応募した。★1

審査の結果、実は私たちは二番手だった。実施委員会からの議論や、コンペの事業計画書を書き上げる仲間の時間と労力を考えると、打たれ強い私でさえしばらく表に出られないくらい落ち込んだ。ところが一位になった事業者が、その後に起きたリーマンショックによって、辞退してしまった。その結果、２００８年9月に私たちが繰り上げで一位となり、この事業の主体となることが決まった。

繰り上げで運営団体の権利を勝ち取ったのはいいものの、現実的には、資本金20万円では、なにも始める事ができず、一緒にこの事業を考えて行く事のできる人に出資者を募ることにした。

コマンドNでは、自分たちがもつスキルをシェアし、やりたいことをやっていくという、オルタナティブなやり方をしていた。だが出資者を募るとなれば、こうしたやり方だけでなく、事業性を持たせて計

★1 コンペには、経営的な視点を補うために清水義次さんに協力を依頼した。２００８年時の内部出資者の5人は私以下、宍戸遊美、石山拓真、坂野充学、大曽根朝美である。２０１０年開館時の出資者は、私と宍戸遊美、大曽根朝美、佐藤直樹、清水義次、長屋博、小崎哲哉である。合同会社にしたのは、出資比率に関わらず意志決定を議論して決める事ができる法人の考え方が運営面で合っていると考えたからだ。２０２０年5月現在では、代表に小池一子、出資者は、私、宍戸遊美、大曽根朝美、佐藤直樹、小崎哲哉、ＯＪＵＮ、川村喜久、佐野吉彦の9人である。

画的にプロジェクトを進めていけるようにしなければならない。そのためにも、しっかりした会社組織が必要だった。資本金を3000万円に増資するためにコンペ時に参加してもらったアフタヌーンソサイエティの清水義次さんに出資者の相談をした。その中で佐藤直樹さんとの出会いが生まれた。佐藤さんは、馬喰町周辺でセントラルイースト東京（CET）というクリエイティブイベントを行い、デザイナーや新しい事業者が集積する街にリノベーションする事業を展開していたこともあり、出資に関しては皆賛同する事に異論はなかった。さらに私は旧知のアートジャーナリストの小崎哲哉さんに声をかけた。清水さんからはもう一人、ネット通販のアスクルなどを経営している長屋博さんを紹介していただいた。その結果、コマンドNの内部から5人、外部から4人の計9人を出資者として迎え入れ資本金3000万円、銀行から借り入れた1500万円の計4500万円の事業費で運営を始める事となる。藝大の教員である私は、営利会社の代表は兼業で認められないため会社の代表は清水義次さんにお願いした。

2020年4月からは、小池一子さんに代表をしていただいている。小池さんとは、東京ビエンナーレでも一般社団法人を立ちあげ共同ディレクターとして一緒にアートプロジェクトを采配している。

後でわかったのは、このコンペは、同じ千代田区のちよだプラットフォームスクエアの影響が強かったことだ。ちよだプラットフォームスクエアは、神田錦町にある、千代田区所有の使われていないビルを再利用した施設だった。ここを2008年インキュベーション（起業支援）としてリノベーションしてオープンした。あらためて千代田区側から見ると、このちよだプラットフォームスクエアは、のちの3331とまったく同じ事業構造になっている。建物は区が所有しているビル、経営は民間で、いまで言う「公民連携」で経営は「民設民営」だった。公の側でも建設費など大家として耐震工事など施設を安全に利活用するための費用を出しているが、実際の運営は民が全部やる。そうした前例として、神田錦町のプラットフォームスクエアが成功事例となっていた。そういう事例があったので、もう少しアートや文化の色が強い施設をつくる流れを、このとき千代田区のほうでも考えていたのだった。

しかし実際にフタを開けてみると、こうした文化施設は前例がない。区の側としても、どうすればいいのかまったくわかっていなかった。コンペに最終的に通る前の実施委員会での議論でも、いったいどのようなものができるのか、区側は、誰も具体的にイメージできていなかった。

それも仕方がないと思うのは、役人には定期的に異動があり、会議に出てくるが、担当者が変われば議論は振り出しに戻ってしまう。こういう施設を作るときのお金の流れやフレームワークを誰もイメージできていないまま、私たちは繰り上げで一位になり、やがて「アーツ千代田 3331」として「ちよだアートスクエア」の事業構想が動き出したのだった。

事業計画案に込めた思い

ここで当時私たちが公募の際に準備した事業計画書（資料）を振り返ってみよう。まだ「アーツ千代田 3331」という名前も決まっていないころ、この旧練成中学校の建物をどのように建築改修し、どういう文化事業をしながら経営していくのかを提案した資料だ。模型や図面は、建築家の佐藤慎也さんに依頼して、建築事務所のメジロスタジオ、構造設計の宮里直也と一緒に建築改修案を作成した。

冒頭にはまず、どのような文化施設なのかを端的に書いた。

「アーティストという総合的な創造的プロセスを持つ活動性を、東京（千代田区）の地域力、文化力を形成するインセンティブな存在として最大限に活用する、日本初の全く新しい参加型の芸術文化活動を支援するアートセンターを提案します。」また、この提案書においてのアーティスト像を次のように注釈をつけている。「ここでのアーティストとは、ジャンルを問わず、また現代、古典芸能まで含む広い意味と考えます。例えば人間国宝の○○氏や、現代にもつながる卓越した伝統技術を持つ職人の○○氏もアーティストとして捉えます。現代美術家、現代音楽家、映画監督、俳優、ミュージシャン、秋葉のオタクアーティスト、農業文化まで現代の日本文化を発信する多様なアーティストを対象と考えます。大切なのは、結果ではなく何かを創ろうとする動機とそのプロセスであり、アーティストの表現制作活動そ

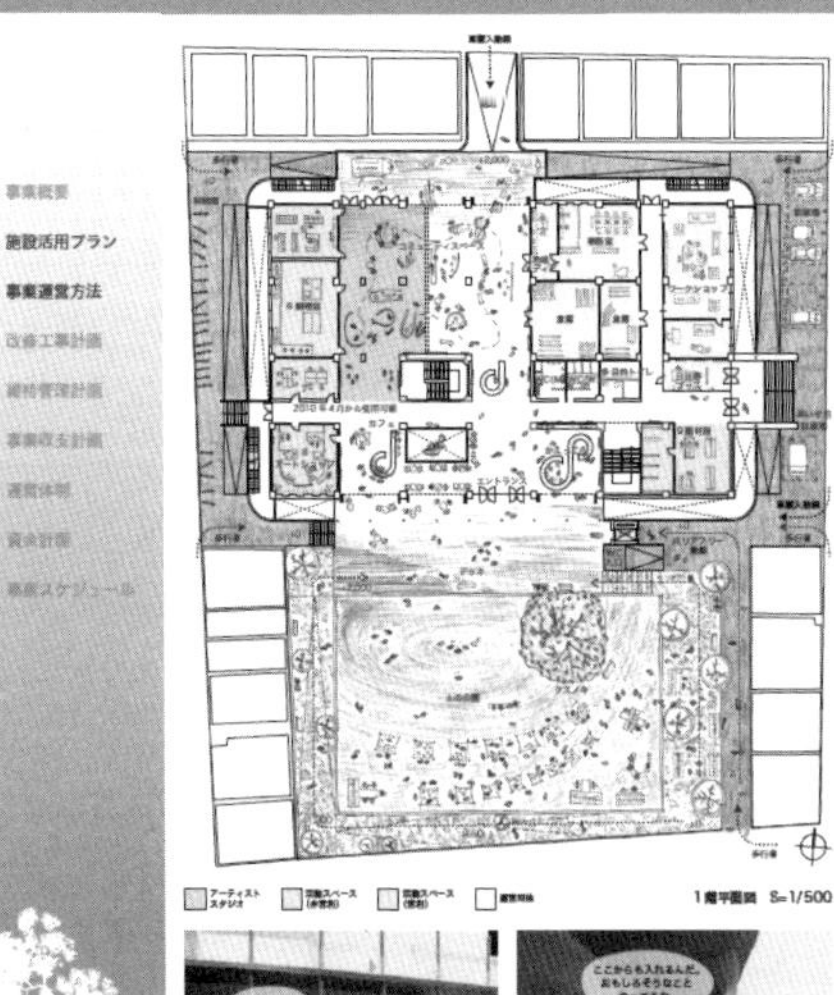

1階平面図　S=1/500

施設活用コンセプト

1：既存中学校校舎の[illegible]、多様な学校の空間をそのまま利用することで、多様な活動を受け入れる場所を用意する。

2：バルコニーを拡張させることで、外部通路より各部屋へアクセスするバリアフリー動線を確保するとともに、木の列柱に囲まれた新たな外観イメージを与える。

3：1階を地域住民にも開放する中庭的な場所として位置づけ、そのままデッキにより公園へと連続させる。

既存校舎のサスティナブルな活用

旧錬成中学校は都心の中学校であったことから、体育館やグラウンドまでが狭い敷地に積み重ねられています。一方で、ほとんどの教室はバルコニーやドライエリアに面し、内部と外部が積極的に結び付けられています。これらの特長を十分に活かし、内部には大きな改修を施すことなく多様な活動を受け入れる場所を実現させ、外周のバルコニーを拡張することで、各教室へ自由にアクセスできる外部通路をつくり出します。バルコニーはバリアフリー動線となり、更に内部の活動があふれ出す場所となるとともに、魅力的な新しい外観イメージをアートセンターに与えます。また、隣接する錬成公園を、イベントにも対応できるアートセンターと一体となった新しい都市公園として再生させることを提案します。スロープ、デッキによって公園と連続する1階にエントランスを設け、地域住民も気軽に利用できるカフェやコミュニティスペースを設置します。エレベータは地階から屋上へのバリアフリー動線を確保するとともに、各階へのアート作品搬入にも対応します。各階には教室を活用したアーティストスタジオと活動スペースを設置し、外部通路（バルコニーとドライエリア）から外来者のアクセスを可能とし、内部通路は 利用者のみの動線として使われます。体育館は多目的スペースとして活用し、屋上にはグリーンアートスペースを設置します。

多様な学校空間を活かした活動場所

アーティストスタジオは教室を利用して9室を設置し、アーティストたちに無償で貸し出しを行うアトリエとなります。**活動スペース**も教室を利用して、アクセスが容易な1、2階に営利向け 13 室、地階、3階に非営利向け8室を設置し、国内外のギャラリー、美術系大学、地域のオルタナティブスペースなどに貸し出されます。内部通路に面して各階にラウンジを設け、利用者同士の交流を図ります。**多目的スペース**は体育館を利用し、ダンスなどのパフォーミングアートの稽古・公演に用いられるとともに、映画館としても利用されます。**ギャラリー**は地下に設置され、運営団体の自主企画を中心とした展覧会が定期的に開催されます。カフェに面する吹き抜けを持ち、多くの外来者の注目を集めます。**エントランスとカフェ**が公園に面するデッキと連続して並び、カフェは全面を開け放ち、デッキと連続して使用することができます。**コミュニティスペース**は北側の搬入路とダイレクトに連続し、カフェを介して公園に繋がります。全国のオルタナティブスペースを紹介する展示スペースとして使われる地域住民が集う中庭的な場所であるとともに、イベントスペースとしても利用できます。**グリーンアートスペース**は地域住民に提供される菜園と、施設で運営される茶畑を設置します。他に屋上にはフットサルコートを設置します。ドライエリアで囲まれる内部は管理を行いますが、周囲については敷地を取り囲むフェンスを撤去することで、さまざまな方向からのアプローチを可能とし、既存のマラソンコースを地域住民が街区を通り抜ける散歩道として活用します。

外のデッキにつながるカフェ

木のバルコニーから入る活動スペース

教室を使ったアーティストスタジオ

バルコニーとつながる活動スペース

ドライエリアにも展示できるギャラリー

地域の中庭となるコミュニティスペース

おいしさいっぱいグリーンアートスペース

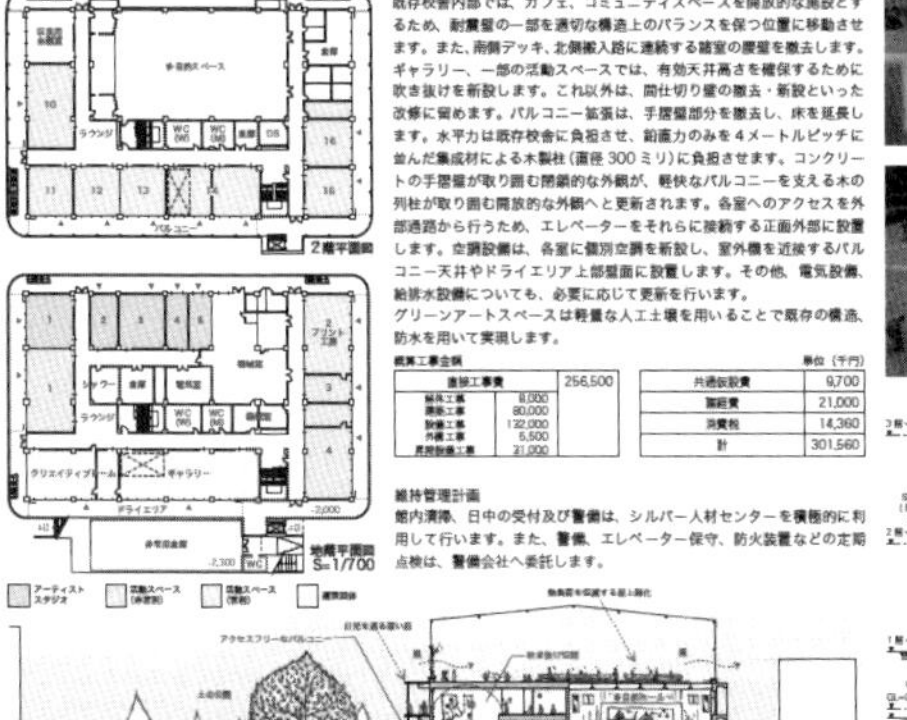

3階平面図　2階平面図　地階平面図　S=1/700

新しい土の公園と江戸の緑の再生

校舎の活用に留まらず、アートセンターと一体となった新しい都市公園として、三和土（たたき）仕上げによる土の公園を提案します。可塑性のある土を用いることで、アートイベントにも対応したダイナミックに変形する公園を提案します。既存の樹木については、象徴的なクスノキのみを残し、他は若木を剪定して移植を行い、未来に向けた CO_2 削減に貢献する元気な森として再生します。切り倒した樹木はウッドチップに加工し、スロープ部分の舗装に用います。また、江戸時代の植生、つまり本来の東京の植生と合致する薪や木工に使える有用樹木を植樹することで、江戸の緑を再生します。建物内にある非常用倉庫は、公園内に新たに計画し、アートセンターとともに防災拠点として機能します。

改修工事計画

既存校舎内部では、カフェ、コミュニティスペースを開放的な施設とするため、耐震壁の一部を適切な構造上のバランスを保つ位置に移動させます。また、南側デッキ、北側搬入路に連続する諸室の腰壁を撤去します。ギャラリー、一部の活動スペースでは、有効天井高さを確保するために吹き抜けを新設します。これ以外は、間仕切り壁の撤去・新設といった改修に留めます。バルコニー拡張は、手摺壁部分を撤去し、床を延長します。水平力は既存校舎に負担させ、鉛直力のみを4メートルピッチに並んだ集成材による木製柱（直径 300 ミリ）に負担させます。コンクリートの手摺壁が取り囲む閉鎖的な外観が、軽快なバルコニーを支える木の列柱が取り囲む開放的な外観へと更新されます。各室へのアクセスを外部通路から行うため、エレベーターをそれらに接続する正面外部に設置します。空調設備は、各室に個別空調を新設し、室外機を近接するバルコニー天井やドライエリア上部壁面に設置します。その他、電気設備、給排水設備についても、必要に応じて更新を行います。

グリーンアートスペースは軽量な人工土壌を用いることで既存の構造、防水を用いて実現します。

概算工事金額　単位（千円）

直接工事費		256,500
解体工事	8,000	
躯体工事	80,000	
設備工事	132,000	
外構工事	5,500	
昇降設備工事	21,000	

共通仮設費	9,700
諸経費	21,000
消費税	14,360
計	301,560

維持管理計画

館内清掃、日中の受付及び警備は、シルバー人材センターを積極的に利用して行います。また、警備、エレベーター保守、防火装置などの定期点検は、警備会社へ委託します。

断面図　S=1/500

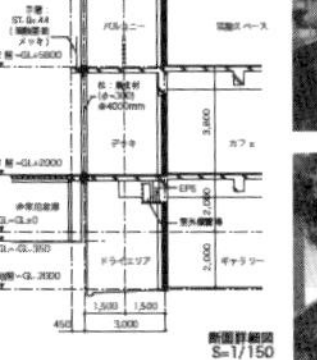

断面詳細図　S=1/150

内部廊下も展示空間に使えます

ギャラリーとして使われる活動スペース

屋上のフットサルコート

吹き抜けからギャラリーを見下ろすカフェ

映画も上映できる多目的スペース

車いすでも簡単にアプローチ

みんなが集まる土の森

ウッドチップが敷かれたスロープ

のものです。」３３３１をＡｒｔｓと複数形としプロだけではないアーティストの存在を前提として考えていた。

事業コンセプトは3点示した。

１：アーティストを広く表現活動者として捉え、その創造力そのものの活力を地域に還元するプログラムを事業の中心とする。

２：日本の中心としての千代田、国際都市・秋葉原の求心力を軸に、日本の地域芸術文化、国際的芸術文化交流のアートプラットフォームとする。

３：施設全体（公園、デッキ、屋上も含め）を「江戸の緑」をコンセプトにサステイナブル（持続的発展的）建築として設計し、江戸文化と現代文化をつなぐインターフェースとして機能させる。

1と2のコンセプトは、その言葉どおりに事業化されている。特にアートプラットフォームとしての機能は、年間８００本を超えるイベント等が行われている現在からみても、そのニーズを一歩早く示していた。３の江戸からの文脈をサスティナブルに機能させるという点では、神田祭をはじめとする地域文化の流れを継承・発展させていくというように解釈することで、３３３１のブランドイメージを構成する重要な要素となっている。

また、事業ビジョンを次のように書いている。

「表現活動を街と循環させる従来の美術館、博物館、劇場等は、アーティストの完成した作品を重視し、その作品の付加価値によって文化的、芸術的評価をしてきています。優れた芸術家における最高傑作をコレクション、展示、保管することが、そのミッションでありました。しかし、日本中の多くの美術館が、本来のそのミッションさえ維持できなくなってきていることは言うまでもない状況です。その多くの問題は、アーティストの存在、その生き方、思想を伝えることではなく、作品の投資的付加価値を芸術として固定的に展示してきたことです。美術館が美術の派生する現場（地域）と関係を構築せず、優れたモノだけを対象にしたために、未完成な地域のアーティストの表現活動は育成されず、地域の文化力とリンクをつなぐことができなかったためと言えます。成功した後のアーティストだけを対象にしてしまっていては、文化力は底上げになりません。アーティストと共に悩み、創造の喜びを分かち合う、有機的な活動体として組織されることが希求されます。アートセンターが街に開き、街のエネルギーとアーティストの表現エネルギーが循環する芸術文化プログラムを主軸に置く事によって、地域に根付いてきた本質的な文化力の向上、つまり《生活の質》が高まっていくのです。」

そこで私が主張したのは、簡単にいえば「美術館という仕組みだけでは、もう限界だ」ということだった。いまの美術館には、優れた価値のあると認められた、すでに完成されたものだけが並べられている。まだ迷いがあり、作品が上手くいかない人たちの思いは、そうしたなかでは行き場がない。藝大や美大の受験期から、大学時代、さらに大学を卒業してからも、アーティストとして十年、二十年と闘っていかなければならない流れの中で、その場所に行ったら誰かに出会え、自分の作品がそこで発表できるかもしれない、市民活動からプロのアーティストまで表現する活動性そのものの創造性が喚起されるアートセンターが街のなかに必要だ、と。

この事業計画書では、「作品」や「アーティスト」の概念を非常に広く設定した。自分の中でなにかものをつくりたい、なにかイメージが湧くという感情をもった人たちは、すべて「アーティスト」だと書いた。そのように設定することで、アートセンターを多くの人たちに使ってもらえるだろう、という思いを綴ったのだった。

３３３１の構想段階で参考にした一つのイメージとして、かつてのパルコ（ＰＡＲＣＯ）があった。３３３１の中で行われている活動を私たちなりにセレクトし、ピックアップして見せることで、アートセンターとしての３３３１自体の動きにもシナジーが出てくるだろう、と考えたのだ。

渋谷にパルコができたとき、そのブランドイメージはとても強く、おしゃれで面白いものだと感じた。実際に行ってみると、ビルのなかにただ洋服屋が並んでいるだけなのだが、その洋服屋を一軒一軒見ていくと、そこには一種のテイスト、感度があり、他のデパートとはまったく違うセレクト感だった。こうしたパルコの佇まいは、当時の西武セゾンの文化戦略から出てきたものかもしれないが、当時としては、とても「とんがったイメージ」があった。

私のなかでは、3331で行われている活動の一つひとつを、「部屋」という単位で見せたいという思いがあった。それぞれのテナントが元教室で行っている活動を、ちょうど博物館の小部屋のように考えていたのだ。

1階のギャラリーフロアでは、いわゆる「現代美術」の流れの中での活動が見えてくる。オフィスやデザイン事務所が入っている他の階では、狭義の「アート」ではないけれど、そこで行われている活動に「博物学」的な感覚で接することができる。ちょうど博物館の展示を見て歩くように、他の階でも部屋を覗いて歩いて楽しめるような感覚が生まれたら、と思ったのだ。

3331のなかで行われている、自分のまったく知らない仕事に対しても、「これは何をやっているのだろう?」といった好奇心をもって「廊下を歩く」だけで、博物館で奇妙な面白いものがならんでいるのを見るように、何かその活動に関心を引くように見たり感じたりできるように設計した。

少し話は飛ぶが、こうした感覚のルーツは、香港に一年住んでいたときに遡る。香港には有名な「重慶大厦（チョンキンマンション）」やかつての「九龍城」のような、ものすごくカオティックで密度のある空間がある。いわば「ショーケース」がたくさんならんでいるようなものだから、その空間のなかにある一つひとつを体験しながら見て回れるようにしたかった。一軒一軒に特徴があり、そこを歩くだけでエネルギーをもらうことができたり、つくる現場に触れるだけでワクワクするような空気感をつくりたかった。私が３３３１にもとめていたのは、３３３１自体が街となり様々な活動を誘発する刺激的な「場」だった。

敷居を下げる

３３３１の設計にあたっては、「敷居を下げる」ということを大事にした。「敷居を下げる」とは、ただ入りやすくするのではなく、「街の中にある文脈に従った流れを作る」ということだ。３３３１の場合、手前にある旧練成公園に面してデッキがあり、デッキから入って来た人がそのまま進めば、メインギャラリーまでは一つの導線でスッと入れるようにしてある。

入り口からメインギャラリーの真ん中までの導線を一直線にすると、入り口に立てば全部見えてしまう。ふつうの美術館やギャラリーでは、そういうことは決してしない。しかし、３３３１の場合、間違えてスッと入って来てしまうぐらいにオープンに設計してある。空間的には、施設の核としてどのような作品、イベントにも対応できるように可変性、柔軟性を大事にしたホワイトキューブを置いた。

ホワイトキューブの手前には、コモンスペース的な空間としてコミュニティスペースが置かれ、窓の外の公園は完全なパブリックスペース。しかも、デッキとコミュニティスペースを仕切る大きな窓は、全面的に開放できるようにした。このことで、コモンスペースの広がりが可変性を持ち、より居心地のいい安心な空間を生み出すことができた。パブリックからコモンに入り、プライベートな空間に自然に流れるように入っていく。この導線の設計が、3331が街と一体化しているように敷居を感じさせない風通しのよい安心な空間となっている。

「ちよだアートスクエア」のプロジェクトが公式に動き出す前、リサーチでここに来たとき、ここにはまだ鬱蒼とした公園があるだけだった。とても汚くて、たんなる巨大喫煙コーナーみたいな感じだった。千代田区は公道上がすべて禁煙なので、煙草を吸いたい人はみなここに集まって来る。公園の遊具には網がかけられ、使われなくなっていた。そしてホームレスの人がけっこういた。全体の見通しが悪く、子どもは立ち入れない危険な雰囲気があった。

練成中学校も、公園に面している側が入り口かと思ったら、全然違った。入り口はぐるっと回って東の方にあり、目の前に建物が立っているのに、その「顔」がどこにあるのか見えない。裏口入学みたいに裏手側から入っていくような、後ろめたい感覚があった。

練成公園に入った瞬間「この学校は、顔が見えない。公園側が裏になっている。「顔」をちゃんとつくるリノベーションが必要だ」とイメージし、そのために、学校と公園を大きなデッキで繋げる事が必要だと考えた。2007年時のアートスクエア実施委員会では、そのリノベーションプランを建築の若いスタッフと一緒に勝手に作った。ラフなアイデアではあったが、CADをつかってCGでちゃんとしたパース図を作成し実施委員会で提案した。千代田区の委員会でその案を見せたのだが「これは面白い。でもどこにそんなお金があるのですか」という話で終わりだった。けれどもこのとき、皆が「こういうイメージがある」ということを共有できたからこそ、区が最終的につくった募集要項では、建築改修の計画も事業計画とともに提出することとなったのではないかと思う。

この学校と公園の関係は、それまでつながりのなかったものがデッキでつながったために、管理上、公園課との調整が必要になった。正確には、デッキの階段は公園課の管轄で、デッキ部分は文化振興課の管轄、つまり3331側の管轄になる。施工時もデッキと階段で、施工会社を分けて見積もり施工するように理不尽な指示があり、かなり設計・施工で手間取った。オープンしてからも、いまだに公園を活用してイベントを行うには、許可申請のハードルが高いのは残念だ。

はじめて練成公園と学校を訪れた時に描いたイメージ

「市民性」とアートセンターの深いつながり

コンペの最終局面2008年のとき、私はちょうど海外にいた。東京藝術大学から一年間のサバティカルが得られたからだ。

ところがその少し前に体調が悪く精密検査したところ右耳の奥に腫瘍が見つかり、頭骨を開けて腫瘍を取るという大手術をすることになった。その手術の結果、神経がかなりのダメージを受けた。平衡感覚が不安定になり、顔半分はダランとして麻痺が残り、足取りもおぼつかなくやっと歩ける状況だった。しかし、医者から「神経は鍛えないと育たないから、ベッドにいちゃダメだ」と言われ、すぐに退院させられた。そのまま私は、半ばリハビリをするように大学のサバティカルを受け、新たなアートの文脈を求め海外にリサーチの旅にでた。

特に、3331モデルをつくるにあたって、影響を受けたアートセンターは、リバプールやロンドンにある、CUCという慈善事業団体が運営するアートセンターだった（Novas Contemporary Urban Centre London, Liverpool）。

このアートセンターの特徴は、元ホームレスの人がディレクターだ

事業提案で作ったモデル

という点だった。社会包摂的にどんな人に対しても、社会復帰できるチャンスやトレーニングを行うプログラムがスタッフ雇用の中心に置かれていた。実際にそのトレーニングを受けた元ホームレスの人が、ディレクターとして仕事をするまで至ったという信じがたいストーリーがアートセンターの運営方針を物語っている。

展覧会を企画するアートセンターとしての機能はもちろんだが、社会課題を解決するための開かれた場として機能していることが実践的であり、意義深い取り組みである。日本の就労支援などは、どうしても一般的には開かれていない場所で、単純な作業に偏りがちであるが、アートの現場だからこそこの課題にとりくめる可能性があるのではないかと考えた。

アートを前面に出すのではなく、「街の中でアートセンターがいかに機能するか」が考えられていた。しかもその機能はアートを中心にするのではなく、箱のなかで労働が生まれることで、その次にようやく文化的なものが見えてくる、という順番になっていた。そのことで「街の中の流れ」がどう変わるか、どう生きてくるか、ということが彼らの思想の根本にあるのを感じた。

リバプールのアートセンターは、ちょうど立ち上げ期に行ったのでとくに印象が強い。元倉庫だった建物で全体がレンガ造り。産業革命のために世界中から奴隷を連れてきた頃、レンガ造りの小さな部屋をたくさん作り、そこに奴隷をいったん収容し、さらに各地へ移動させていた。とても恐ろしいことだと思うが、その建物を街の歴史の文脈に位置づけしっかりとリノベーションしていた。

このアートセンターのポイントはお金の流れだった。慈善団体が背景にあるものの、アートセンターの中にはシェアオフィスや映画館、カフェ、ショップなどがあって売上を作っている。自己収入を作るための仕掛けが多くあったのだ。その分、収益性の見込めない実験的な作品や文化施設としての社会的価値をつくり出すための事業とのバランスが取れていることに興味を引かれた。

他にも文化を街が育てている例を多く見て回った。たとえば北アイルランドでは、街全体が宗教戦争の流れのなかにある。戦争で戦った英雄が街のビルの壁面にかなり大きく描かれていたりする。パブリックのどこの部分にどんなアートワークが残っているのか、またそれを誰がどういう考えで作ってきているか。「街の流れ」の中に作品を入れて活動を起こしている。例えば、オレンジと緑色でプロテスタントとカトリックの宗教的区別をハッキリとしていて、街のパブの色も、オレンジ色のパブと緑色のパブとに塗り分けられていた。アイルランドの国旗の色でもある色彩が、街の流れを暗黙に区分していることにとても刺激を受けた。

ヨーロッパでは「市民性」、つまり「市民であることの権利」が非常に強い。階級社会のヒエラルキーにおいて、アートという価値が生まれて来るとき、少なくともアーティストという存在は尊ばれる存在として位置づけられている。それは、人間の様々な欲望があるなかで、純粋に作品を制作し続けていくのがアーティストであり、彼らは自分たちのかわりに切実に人間とは何か？と表現を追求し、自分たちの文化を崇高な存在として創ってくれている――それくらいの思いで、社会の中にアーティストをリスペクトする気持ちが埋め込まれている。アートという仕事は人類にとってそれだけ貴重な「市民性」の証であり、一つの権利を持っているのだ。

でもそれが日本やアジアでは「村意識」になってくる。旅をしている間、そのあたりのバランスをずっと考えていた。3331をつくるときは社会的包摂、いわゆるインクルーティブな考え方でやろうということを、早い時期から思っていた。元ホームレスがディレクターになったイギリスのアートセンターと比べると、日本の社会は一度でも失敗すると、「失敗者」という烙印が押されてしまう。その「流れ」の中で、その人の人間性が回復し、もう一度チャンスが与えられるということが難しい。「流れ」の中にアートというプロセスを通して、アイデンティティを新たに確立する事が大事なのであって、「アート」というプログラムが街に機能している「流れ」＝プロセスが消えないようにアーティストがいなくてはならない。その「流れ」を支え自分たちの文化をつくり続ける「市民性」としての尊厳がある。

建築改修という難題

海外にいるあいだ、日本にいるコマンドNのメンバーとは、会計的な根拠をつくるための事業予算作成など全てのやりとりをメールとスカイプで行っていた。時差があることや、ネット回線が都市によって状況が異なりなかなか大変だった。日本とのスカイプ会議のときだけは拘束されるが、それ以外は外国にいて、いわば一人でずっとブレストしているような状態だった。

サバティカルで国外に出ていたのは、正確にいうと10カ月ぐらい。10カ国を周り105カ所の施設を訪問した。不思議なことに、神経もだんだん強くなり顔面麻痺も治りはじめていった。そうやって、コンペの資料や模型、様々なプログラムのシュミレーションなどの作業を分担し作成していった。

そうやって世界をまわりながらコンペの準備をし、オープンの2年前2008年9月にはコンペの面接のために、一度こっそり帰って来て面接後また海外に戻った。帰国後、コンペが最終的に通った後には、まだ神田錦町にあるカンダダの事務所にいて、コンペに出した計画書を事業計画書に落とし込む作業、つまり区議会で議員さんに説明するための資料を作り始めた。

区の担当の人と一緒に作っていく作業は、庁内や議会での説明用に彼らの言葉にすべてを「翻訳」していかなくてはならなかった。アートの世界のことが役人には理解しにくいというのはわかるが、両者の言葉の間には高い「壁」があった。今でもだが、民間のスピードや常識的な判断は、通用しないことが多く、なかなか慣れない作業が多い。

書類でお金の話をするときも、必ず根拠を出してくれと言われる。そこで根拠となる説明資料を調べて作り、説明する。その繰り返しだった。事業計画書なので、3331でやることと、そのためのお金の流れはすべて出てくる。しかもオープン時は建築改修と事業そのものの開始がダブルで進み、その二つを並行してやっていかなければならない。

建築改修も全部自分たちで仕切った。2億にものぼる改修予算を仕切り、自分たちが考えているプランどおりに落とし込む作業をするのは大変だった。そもそもそれまでは、400〜500万くらいの予算でアートプロジェクトを回してきた中で急に2億なので、桁を間違えそうになっていた。設計の人にまかせて見積もってみたところ、とうてい2億では金額が収まらないことがわかり、全部一つひとつチェックして、「足場代が高すぎです」とか「この大きさでエレベーターは無理です」とか、「じゃあこのサイズまでなら1000万円で」とか、「ここはもっと下げられるんじゃないか」という調整をしていった。それまで培ったセルフビルドでの施工計画や予算の立て方の厳しく柔軟な考え方が存分に発揮された。

そういう折衝の一つひとつは地味でつらかったが、結果的にはとても勉強になった。これまで私たちは、自分たちで施工できる程度のことしかやったことがなかったのに、今回は構造壁さえ動かす工事をした。工期スケジュールを綿密に計画し、実際に改修が行われる現場からは、学校というスケールの彫刻を作り始めているようであり、あらたな作品をつくっている期待感、充実感を感じていた。

建物という「ハード」をいじりながら、私たちは、工事が終わった後にそこで活動するプログラム「ソフト」の運営計画を立てなくてはならなかった。

たとえば1階にある集会場のサイズは、その前のプランを町会の人たちに見せたとき、これでは狭いと言われたので変更した。同窓会の会長から「100人は絶対入る規模のイベントをやる。この部屋に100人は入れるのか」と聞かれた。そこで実際に100人分の小さな人型の模型を作り、「ちゃんと入りますよ」と見せて説明した。

町会からは、お祭りの神輿をどこに置くのかを考えてほしいとも言われた。イベントをするときには1階の裏からデッキまで、車1台分が入れるぐらいの導線をとらないといけないことなど、いろいろなことを考えて設計していった。そうやって、建物の設計と出来上がったあとの使い方のファシリテーションを、各方面にしなくてはならなかった。

指定管理ではなく、完全民営へ

千代田区が示していたコンペ応募条項には、お金の話は一切書いてなかった。どれだけの費用で改修するのか、建築改修をした後にどれだけのテナント料を家賃としてとるのか、そこをどうやって運営し、年間をいくらで回すのか、そこまでを全部自分たちで考えてくださいという。ようするに丸投げだった。こんな公募がありうるのかと、正直、驚いたほどだ。

もともと、私は千代田区のアートスクエア構想で実行委員をやっていた。そのときは、まさかこういうことになるとは思ってもいなかった。この構想が実現したときは、千代田区自身が経営するか、指定管理になるとしても、最低限の経営の部分は見守ってくれると思っていたのだ。

いちばん苦しかったのは、建築改修の際の瑕疵責任だった。事業主体はあくまでも合同会社コマンドAであり、千代田区ではないという契約になったのだ。工事中に事故が起きたり建物に何らかのダメージがあったら、コマンドAの実質的トップである私がすべての責任を負うことになっていた。それを知ったときは絶句した。千代田区が建物の所有者であり、「大家」なのに5年の賃貸借での借り主に内装工事はともかく建築改修工事の全ての瑕疵責任を取らせるという事はあっていいものかと?

また、学校という大型の建築のためのビル管理法（建築物における衛生的環境の確保に関する法律）というものがあり、水質調査や空気やタンクなど衛生的かどうか、数十項目の検査を毎月のようにチェックしなければならない。当然、そのためにはお金がかかる。本来ならば「大家」である千代田区がやるべきビル管理の部分まで、全部自分たちでやりなさいというのも契約条件に入った。このビル管理法に基づいた検査には、建築物環境衛生管理技術者という国家資格が必要であり、専門の会社に依頼しなくてはならない。そのためにも年間数百万円の費用がかかった。

さすがにこの負担には耐えかねて、区の側に「これは大家さんが貸す人に対して負荷をかけることではないはずだ」と言い続けたところ、二期目には、少しだけ区の態度が変わった。基本的に自己負担であることは変わらないが、その分を別のプロジェクトのかたちで区が認めたならば、その対価は出してくれることになったのだ。ストレートなやり方ではないが、こうしてビル管理に関しては、二期目より改善された。

このように指定管理ではなく、コマンドAによる完全な「民営」となったことで、いろいろと苦労も増えたが、メリットはそれを上回るものがあった。

「ちよだアートスクエア」事業のコンペもおいて私たちが受ける条件は一つだけ、それはこの場所を24時間フルに使って自由に営業できることだった。この場所を24時間使うことができ、営利事業を行うことができなかったら事業として成立しない。個人でも会社でもこの場所を拠点として自律的に事業が展開できない。

ところが、指定管理だとそこの部分がなかなかクリアしにくい。事業内容は、そもそも指定されたものでなければできないうえに、会計処理など決められた項目にそってしか事業計画が行えなくなる。行政の側が企画に首をつっこんで、これをしなさい、あれをしなさいと言ってくる。あるいはこれはダメだと言ってくる。クリエイティブな事業は、指定管理にはむかない。民間の意志決定で臨機応変に瞬発力をもって事業展開しなくては、時代の先をつくることはできない。現在の３３３１では、年間１０００本近い多種多様なイベントを開催している。営業努力が少しずつ実を結び成果を生み出してきている。一般的な指定管理の運営体制では、決められた予算の範囲内での事業成果を出すだけであり、事業投資なども行いにくく事業をつくり出すやりがいに欠けてしまいがちだ。

コスト意識を徹底させる

建築内装に関係する工事は、基本的に全部自分たちでつくっていった。ショップや事務所の机、館内サインなど使用する機能に従って皆でブレストし方向性を決めデザインし制作した。ラウンジにある大きなカウンターは、私が端材で自作した。破棄する端材の合板を重ねてつないで集成材のようにつくり仕上げた。基本的につくる事が好きであり、できるだけその楽しみを味わいながら仕事をしていきたいのだ。ほとんどの備品は、まず、自分たちでつくる方法を考えてから外注するか自作するか検討をするところから始める。

スタッフには、材料の仕入れの段階からトータルなコストを考えて「とにかく赤字にならないギリギリを攻めろ」と言った。どんな材料を購入するにしてもギリギリのコストで攻めていけば、そこに本質が眠っている、と。また、価格だけではなく取引としての信頼を構築していくことも忘れてはならない。

特に見積もりの取り方は厳しくした。たとえば喫煙室の改修にあたり、大きなガラスの位置を引っ込めようとしたら、業者から40〜50万という見積もりがでてきた。たんにガラスを数メートル奥に移動するだけなのに、どういう根拠？という気持ちになる。今までの経験では、ガラスをつかむ吸盤みたいな器具をガラス面にギュッと圧着させて、その取っ手を４人がかりで持てば動かせる。見積もりを見たら、その部分だけで15万ぐらい取っていた。そのコストを０にするには、自分でやればいい。専門家という言葉に惑わされてはいけない。不安は、作業の内容をちゃんと理解していないからだ。最低限の材料だけを買うというところまで見積もりを厳しく突き詰めていけば、自分でやれることが見えてくる。やれることが見えれば、自分たちでできる。結局、ガラスの移動は、器具を買うことで簡単に移動ができた。器具があることで、いつでもガラスに対しての施工もできるように一歩経験値が増した。基本的には「自分たちでつくれるものはつくる」。難しい局面にぶつかった時こそ、クリエイティブに解決するアイデアを出し技術力をつけていく。失敗することもあるが、それがつくる事の基本だと思っている。

実際、３３３１は絶えず改修している。子どもルームとして使っている畳の部屋も、はじめはギャラリーだったけれど、３３３１には乳母車で来る子連れのお客さんがすごく多いことにあるとき気づいて、子どもルームに改修した。

天気のいい日の昼に乳母車で来たお母さんたちが、「子どもたちが安心して遊べる場所がほしい」と言ってくれた。他に場所がないから、ついつい子どもたちは３３３１のなかで走り回る。走り回られると、音がメインギャラリーにガンガン響く。これでは駄目なので、子どもたちが安心して遊べる場所をつくり、そこに畳を敷く計画をした。ところが、畳の見積もりを取ったところ、これがまたとても高かった。そこでこちらから畳メーカーに声をかけ、御社の畳をこの部屋に敷き、ショールームにしてみないかとプレゼンを何社かにした。その結果、ある畳メーカーさんが乗ってくれて、畳をすべて無償で出してくれることになった。畳メーカーさんも３３３１での施工事例ができ販売促進に繋げることができたと喜んでくれた。そうやってお金の部分も絡めながら、ひとつひとつの部分についてお互いの考えを突き合わせていけば、メーカーさんにとってもプラスになるし、私たちにとってもプラスになるようなことが生まれてくる。クリエイティブに解説することを絶えず議論しながら、ちょっとずつチューニングして、より良き方向に向かっていくという感じで３３３１は運営されている。

私たちが飛躍できたのは、お金のことを徹底的にやったからだった。自分の中でも一番弱いところだったため、どうやって３３３１を回していくのか、いくらあったらプロジェクトが運営できるのかを、スタッフや自分の給料まで全部はじいてシミュレーションし、事業として絶対にやっていけると思えるところまで突き詰めていった。

テナントを選ぶ基準

施工と同時に、テナントとしてどんな企業を入れるかという検討も行った。

そもそも私たちが考えていたのは、コレクションをもたないアートセンターでも、税収で運営する美術館でもなかった。アートが産業と地域コミュニティを深く接続するアートセンターであり、どんな人でもアートという価値観に接続できる幅広いプログラムを生み出す場所である。

もちろん、事業計画にそって自己収益をきちんと上げながら社会関係資本を構築していくことであり、もっとも難しい地域に宿る身体的文化をつくることだった。そのためには、公募によりふさわしい入居団体を選ぶことはもちろん大切だが、キーになる企業や団体にはこちらから声をかけてまわった。

テナントのイメージがはっきりしたのは、多摩美術大学のサテライトギャラリーが入ることが決まったときだ。武蔵野美術大学はすでに馬喰町にサテライトをもっていたが、多摩美術大学は郊外にしかキャンパスがなく、都心にサテライトギャラリーをつくりたい事は予測できた。少子化で受験生が減少して来ている中で都心にギャラリーを持つことは、広報的にも学校運営的にも効果が高いと勝手に考え、堀浩哉さんに企画書をもって相談に行った。堀さんが、理事長を直々に紹介してくれる事になった。堀さんは1960年代に多摩美で美共闘（美術家共闘会議）の議長をやっていた人で、学園紛争でヘルメットをかぶり、当時の理事長とぶつかった。ところが今回は、多摩美の理事長のほうから「面白い、検討しよう」と言ってくれた。３３３１の建設現場を見に来てくれたとき、まだ工事中だったので、ヘルメットを被った堀さんと多摩美の理事長が並ぶことになった。それを見て、私は「歴史が少し動いたぞ」という感じがした。

堀さんは闘う男だが、何に対してもただアンチというわけではなく、相手の懐の中に入り、一緒に変えていくという気概をもっている。多摩美の理事長もそれを理解してくれて、ギャラリーを作って、学生をもっと外に出させるべきだと言ってくれた。この件では、堀さんが先導を切ってくれたのだが、そこに至るまでにはやはり、アートの文脈が私たちをつなげてくれていたような気がする。

最終的に３３３１には多くのアート関連のテナントが入り、いわばギャラリーのコンプレックス施設になった。またアーツカウンシル東京という東京都の文化政策をつくる機関も、立ち上げ間もない頃で活動拠点を欲しがっていたので入居することになった。区の施設の中に都がいるというのも愉快だった。

ハフィントンポストやＡＯＬジャパンといったメディアやＩＴの企業にも、テナントになってもらった。私たちの世代が最初にインターネットに接続した頃、選択肢となるプロバイダーの一つがＡＯＬだった。３３３１に店子として入ってくれる企業には、そうした先進的なイメージを求めた。アートと直接の関係はないが、ハフィントンポストやＡＯＬジャパンは事業体としての規模が他とはまったく違った。いちばん大事にしたのは、従来のビジネス観を壊してくれるということだった。その後、３３３１にはソフトバンクも入ってきて、「ペッパー君」はとても人気があった。

のちにＡＯＬの人に、「なぜ３３３１に入ることにしたのですか」と聞いたところ、このクリエイティブ感が面白いから、と言っていた。グーグルはアート活動そのものや、ネットの中でもアートに対してサポートをしている。それに対抗するには、３３３１のような場所がふさわしい。ここであれば、ワークショップなどもすぐできる、というのだ。実際に、ＡＯＬは３３３１でさまざまな活動をしてくれており、いろんな意味で別格の存在だった。

このＡＯＬの流れがハフィントンポストの入居につながった。ハフィントンポストは３３３１に入った後、私の研究室の留学生とアートワークのコミッションもしてくれた。オフィスの壁画が空間を一変させ、３３３１らしい事務所となった。

３３３１にはどういう人たちに来てほしいか、というこちら側としてのイメージもあったが、それよりも場所の値段、つまり家賃の坪単価を同じにせず、活動に応じて家賃を変えるという設計をしたことのほうが重要だった。

ものすごく儲かっているところと、そうではないところでは、坪単価が違う。そのことは事前にはっきり公言しておいた。ＮＰＯの人たちは経済的に苦しい活動をしている。それなのに、営利事業している人たちと同じ基準の家賃はないだろう。一律公平という設計では、お役所的になってしまう。3331は「お役所的」ではなくすることが一番大事だと思っていた。

アーティストとしての立場からいっても、エーブルアートや障害を持っているのに活動をしている人たちは、作品がなかなか売れない。作品販売が目的のコマーシャルギャラリーが同じ家賃なのはおかしい。そこでテナント料金の設定上、「活動スペース」という言い方をした。活動内容によって審査を行い、家賃を変えますと最初から募集要項に書いておいた。

3331のテナント料は、いちばん安いところでいまは坪7000円。ひと部屋の平均が20坪とすると、月額家賃で14万円ぐらいになる。共有部分がこれだけ充実している施設でこの値段はずいぶん安い。

シェアオフィスも増えている。一つの教室をまるごとオフィスにすると家賃が月20万少しかかってしまうが、シェアオフィスならば、一人分が月額3万円ぐらいで済む。都心に仕事場の「住所」がほしい人など、シェアオフィスに対するニーズはいまもとても多い。

開館とキャッシュフロー

それまで活動していたプロジェクトスペースKANDADAから旧練成中学校に引越をし

た日の事は、よく覚えている。だれもいない学校に入り最初の事務所はどこにするか?と全教室から好きな場所を選ぶことにした。いろいろと見て、3階の眺めがいいので3階の一教室に決めた。3階に決めてしまったので、結果、膨大な引越の段ボールを階段で上げなくてはならなかった。当然、工事前なのでエレベーターはない。引越は、坂野の友人でファッションブランドSEMBLの槙尾俊陽さん達3人も手伝ってくれた。あの時に一緒に汗をかいたことは今でも感謝の想いで忘れがたい。机もなにもない空っぽの教室に滝のような汗をかき段ボールを運んだ。新しい事務所となる3階の窓から練成公園を見下ろしクスノキを眺めた時、それまでの十年以上のコマンドNの活動から一気にステージが変わったという実感がわいた。同時にこれから始まる事業の展開に文字通り息を弾ませ、心が高鳴っていた。

私達5人以外だれもいない学校の一教室にインターネット、電話回線を引き、合同会社コマンドAの初めての事務所を開く。何が大きく変わったかというと、キャッシュフローという言葉を覚え会計処理をするようになった事である。それまでのコマンドNは、私も含め全員ボランティアの活動であるため給与が存在していない。自分たちのスキルシェアをして支払いが必要な経費分だけ資金をつくって運営していたからである。事務所を開設した月からスタッフに給与が発生した。私は一年間ほど、ちゃんと売り上げが取れるまでは、給与を取らなかった。毎月の支払いが一気に発生し、入金は事業が始まるまではないので資本金はどんどん減っていった。

新規スタッフを募集し事業を開始するための工事も始まり、刻々と閉校した学校がアートセンターとして生まれ変わるための準備が始まった。事業の成功は、どのような活動をしている団体、会社にテナントとして入居してもらうかだ。それがアートセンターを形作るために必須の条件であるため、ネットワークを最大限に生かしリーシングに走り回った。

当初は、海外の大学や財団も入居したいという話もあった。しかし、リーマンショックが企業の投資を抑え、なかなか思うようにはリーシングは進まなかった。事務所では、建築改修の全ての意志決定をし、開館時の企画展、コミッションワークなどプログラムの開発等に追われる日々であった。開館がせまってくると、運営事務所を地下の一番奥の部屋に引っ越した。今度は、さらに増えた段ボールを3階から地下に下ろすため、階段に合板を引いて滑り台をつくりそこに投げ入れるように滑らせて地下に引越をした。

キャッシュフローは、どんどんと厳しくなり資金の底が見えてきたとき、2010年3月14日、アーツ千代田 3331は、プレオープンを迎えた。そして同時に口座には入金が滝のように流れ込んできた。経営的にもしっかりと回る流れができる事となった。まるでランニングホームランを狙ってホームベースにギリギリヘッドスライディングで滑り込んだ時に、審判が一呼吸おいて「セーフ」と大きな声で叫んでくれたような緊張感あるほっとした気持ちだった。

資本金を1千万円から3千万円に増やし銀行からの借り入れがあったからしっかりと準備

ができた。あたりまえのようだが、毎月1千万円のお金が出入りする事業規模だけに、構想を実現するという達成感は、密度濃くやりがいがあり、キャッシュフローの綱渡りは緊張感ある出だしだった。アートプロジェクトの事業規模としても３３１の立ち上げを経験したことは、その後の東京ビエンナーレにおいても多くの自信をつけさせてくれた。オープニングセレモニーの時は、私の構想に賛同してくれたスタッフや出資者の皆さん、アーティスト、行政、地域の皆さんに感謝で一杯であった。

プレオープンから半年後、２０１０年の9月26日にグランドオープンを迎えた。グランドオープン後、今度は、次から次へと実施される展覧会、イベント、施設管理、町会、行政との調整等、流れ始めた川を止めないように怒濤のマネージメント、経営業務が始まった。アートに触れる部分は一瞬で、そのほとんどの時間は、裏方としての業務である。企画会議で構想するのは楽しいが、実現するためのフィジービリティスタディと計画を立案するマネージメント作業は、資金とクオリティコントロールの調整でかなりハードワークとなった。展覧会も半年から1年後という短いスケジュール単位で制作し回していかなければならなかった。千代田区との賃貸借期間が5年という短い契約期間の中でどれだけ走り回れるのか？　終わらないトライアスロンがオープン以後、ずっと続いていると言っていい。

第4章

３３３１の基軸プロジェクト

「地域因子」という地域のDNA

3331を実際に運営していくにあたって、私たちは「地域因子」というものを大事にしている。「地域因子」とはその地域に潜んでいながら、まだ発芽していない魅力ある対象のことであり、いわば地域の持っているDNAといっていい。

地域因子を「人間」「しくみ」「自律」「環境」「美感」の五つの軸から私たちは考える。地域がもつそれぞれの力をどのように発露させ、活性化させて行くか。それを考えるには、この五つの軸に対する評価を元に、バランスよく事業化していくことが大事なのだ。

ビジョンを掲げることと、それを具体化していくときのアクションとの間で調整を行い、「流れ」の中で伸びている部分と弱い部分を見きわめる。そして伸びている部分をより伸ばすことと、弱い部分を補うことのどちらの優先順位が高いのか、ということを絶えず考えるようにしている。

旧練成中学校の建物を使うことが決まったとき、五つの価値観をこのなかだけでバランスをとっていくのではなく、もっと外の地域、少なくとも神田エリアの中に対して、ここにアートセンターができることによってどういった新しい関係が生まれるかを考えた。

「人間」「しくみ」「自律」「環境」「美感」という五つの力を分析的に見ていくと、たとえば「こういうものを作りたい」というビジョンをもつ人間が地域のなかにいたとき、それを補えるようなしくみがあればお金も生まれてくる。環境に負荷をかけずに街に美観が生まれれば、それに越したことはない。そうやって五つはお互いに関連しあっている。

でも、現実的にはそう簡単にいかない。プロジェクトを動かすお金がなかったり、環境にさまざまな負荷をかけていたりする場合、そのプログラムは地域の中ですでに歪んでいるといったほうがいい。

神田地域の場合、人に関しては大きな特徴がある。千代田区全体に言えることだが、昼間人口つまりここで働いている人に比べると、実際に住んでいる人が極端に少ない。人口は千代田区全体でも６万人ぐらいしかおらず、外神田６丁目（神田五軒町）の人口は約４００人だ。しかも、一つの街の住民数としてはこれでも多いほうなのである。この４００人が地域の意思決定をし、お祭りにも参加している。

したがってここにできるアートセンターは、神田五軒町の４００人を中心にしながらも、ここから半径２〜３キロメートルぐらいまでの徒歩圏全体で機能できるアートセンターにすべきだと考えた。

実際、オープンした後のお客さんの流れをみると、谷中方面からも神田駅方面からも歩いて来る人がいる。一駅、二駅ぐらいの距離なら

五つの力

美感力
人間力
3331 Arts Chiyoda
街が創造的になる場
環境力
しくみ力
自律力

ば、都心であれば歩けてしまう。

地域の中で、どの因子が伸びていくのか、どの因子が足りないのか、ということを考えるなかで、だんだん分かってきたことがある。400人ほどの地域住民は、もともと同窓生であったりする、地域に根ざした人たちだ。アートセンターとして、私たちは彼らとどのような関係を作るべきかを模索していた。

コミッションワークで地域とつながる

関係を作るにはまず、彼らと関係するためのプログラムを設計しなければいけない。3331の場合、神田五軒町を含めたこのあたりの公共的なエリアで、アートというものがどういうかたちで機能するかを考えなくてはならなかった。

そこで私が考えたのがコミッションワーク（委託制作）だった。1970年代から80年代にかけて「パブリックアート」という概念が盛んになり、公共の場にモニュメンタルなアート作品が作られるようになってきた。その際によく採用されるようになったのが、コミッションワークというしくみだ。

ただし3331の場合、地域のなかにモニュメンタルなシンボルを作るのではなく、私たちが学校を使わせてもらっているこの神田五軒町というエリアで、住民側からの目線でアート活動に入り込めるようなプログラムを定期的に行えるようにしたかった。

コミッションワークのアーティストとしては、日比野克彦さん、藤浩志さん、八谷和彦さんの三人に白羽の矢を立てた。そして彼らと議論しながら、３３３１にふさわしいプログラムを作っていった。

日比野克彦さんとは、すでに他の地域でもやっていた「明後日朝顔」のプログラムを、東京ローカルで初めて作ろうということになった。このプログラムは３３３１で行うだけでなく、近所の千代田区立昌平小学校でも行い、大勢の地域の子どもや町会の人たちが参加してくれた。

２０１０年4月から始めた「明後日朝顔」は、日本各地の24～25カ所から朝顔の種を毎年送ってもらい、ここで育てるというプログラムだ。参加する子どもたちは、「これは新潟の莇平」「これは秋田の大館」「これは福岡の太宰府」と、それぞれの種がどこから来たのかを学びながら植えていく。そうすることで「太宰府ってどこ?」という疑問が生まれ、地域同士のゆるやかな関係構築ができていくのが面白い。朝顔の種を送ってくれるそれぞれの地域と、３３３１のある神田五軒町との間の交流が、毎年ゆるやかに行われるので、こちらとしても、その地域のことがなんとなく気になっていく。ここで育った種が今度は「東京発」として相手に送られることで、「種のエール交換」が広がっていく。

ちなみに「明後日朝顔」の全国大会は年に一度行われることになっている。２０１６年は

３３３１で開催され、朝顔の種の原産地からたくさんの人が一気に集まってきた。すでに知っている仲のいい友達がやってきた感覚が、最初の段階からウワーッと広がった。

このプログラムの楽しさは、参加者同士が心を開いてつながりをもち、相手に対して触手を伸ばしていくという能動的なところにある。日比野さんはＪＡＸＡとも関係があり、朝顔の種を宇宙空間にまで持っていってもらい、戻ってきた種をここに植えたりもした。「明後日朝顔」は、子どもや町会の人たちが誰でも参加できる、地域に開かれたゆるやかな枠にした。「生物の成長」がテーマなので教育的な見地からも学校が入りやすい。朝顔のツルが屋上から垂らしたロープをつたって上へ上へと登っていき、とても豊かな緑が壁を覆っていく。このプログラムは毎年行われる風物詩として、３３３１のひとつの顔になっている。

藤浩志さんには、不要になったオモチャをもちよって交換する「かえっこ」というプログラムをお願いした。私たちが秋田県大館市で行っている「ゼロダテ」でも、藤さんには「かえっこ」を実践してもらったことがある。

ただし、これまでの「かえっこ」は、美術館などで2～3時間ほどかけて行う単発のイベントだった。そこで３３３１では、一年中「かえっこ」が行える「かえるステーション」という場所を作った。「かえるステーション」では、いらなくなったおもちゃを持ってくるとポイントが貯まり、そのポイントでワークショップに参加できるという仕組みを作った。

いまは近所の小学校などと連携ができているので、「かえっこ」の日を作って学校にチラ

いがた
あさみひら
あさみひら
おきな

シを配布すると、当日は体育館いっぱいに子どもたちが集まってくる。千代田区だけでなく、おとなりの台東区からも来る。「かえっこ」の人気をみて千代田区とは委託事業として、「かえっこ」を３３３１だけでなく、区内にある麹町やもっと先の児童館でも展開できるようにした。

「かえっこ」によって、子どもたちはお金を使わずに遊ぶための創意工夫を自分たちなりに凝らすことができるようになる。３３３１としても、常設の「かえるステーション」があることで、その隣の畳のコーナーでも安心して子どもたちが遊べる雰囲気ができてきた。

活動を見せていく場所として

３３３１では最初に、「活動スペース」としての計画書を書いた。さまざまなテナントが入りそこで事業を行うとして、そもそも「会社」というもの自体が連続性のある活動だ。そこで行われる活動の質が社会にどのように働きかけて機能していくのか、社会からどんなリアクションを起こせるか、ということが企業活動の本質としてあるはずだ。それはアートと同様である。

だから３３３１では、各テナントやギャラリーの企業活動、商品を作る活動にフォーカスをあてて、テナントを選んできた。ここはモノを見せていく場所というよりも、そうした活

動そのものを見せていく場所なのだ、と。

最近ではこういうことがようやく当たり前になってきたが、３３３１がオープンした当時は、なにか美術品という「モノ」がないと安心しないような感覚が残っていたのだ。

一面では、たしかにそれもわかる。最初に設置するときにはお金がかかるが、モニュメンタルなよい作品があれば、それを見に来る人が必ず一定数いる。そして、そのアート作品の写真を撮り、満足して帰っていく。けれども私たちが３３３１という場所でやりたいのは、それとはまったく別のことだった。

意外なことに、そのヒントになったのは「祭り」だった。

「祭り」からオペレーションを学ぶ

先にも触れたとおり、千代田区の居住人口は区全体でも約6万人、３３３１のある神田五軒町の人口はわずか４００人だ。高齢化も進んでおり、お元気な人の数はさらに少ない。しかしこの街の人々は、「神田祭」という歴史ある大きなお祭りのときになると、町会の人を中心に総出で参加する。

神田祭は江戸時代から４００年も続いているお祭りで、実施にあたっては大がかりなオペレーションが必要となる。そうしたオペレーションがどのようにして生まれ、どう受け継がれてきたのかに、私はとても興味をもった。

そもそも３３３１という施設の名前の由来は、この街でずっと受け継がれてきた「江戸一本締め」という手締めにある。二年に一度行われる神田祭の際には、「シャシャシャシャン、シャシャシャン、シャシャシャシャン、シャン」という手拍子が、神田五軒町の人たちにとって祭りの締めくくりとなる。三回手を打つリズムを三回繰り返すことで「九」となり、最後の「シャン」で「苦」を払う。「九」に一画が加わることで「丸」となる（佐藤直樹に制作してもらった３３３１のロゴは、これを視覚化したものだ）。

お祭りを無理やり「アートプロジェクト」としてとらえる必要はないが、あえてその視点で設計構造を読み解くと、お金の流れも、神事としての様々な儀式も、とてもよくできていることに気づく。

たとえば、私たちはお祭りに「寄付」をする。その場合も、誰が寄付をするかによって金額の相場が違ってくる。お祭りのパトロンの名がずらっと並ぶとき、いちばん格が上なのは右上に来る者で、そこから格付けの高い順番に名が並ぶことになる。神田五軒町の場合、建前上、３３３１が右上の立場にならざるを得ない。

２０１３年の神田祭には、３３３１として寄付金30万円をドンと出した。ところが「中村さん個人でも出してください」と言われ、会社のほかに個人として10万円ほど、さらに寄付をすることになった。町会が寄付をお願いしに来るときは、ピシッとした半纏を着た役員が、

礼を尽くしてやって来る。長い歴史のなかで神田祭にはそういう「流れ」が見事にできているので、こちらも自然と、その礼に応える気持ちになるのだ。

３３３１の事業を立ち上げる前から、外から眺める程度ではあるが、神田祭のことはリサーチしていた。オープン後の２０１１年に予定されていた神田祭は、東日本大震災のために流れてしまったので、私たちが参加したのは２０１３年が最初だったが、実際に参加してみると、さらに多くのことがわかった。

まず「街の人たちがつながるプログラム」としてお祭りを考えると、人と人がものすごくつながりやすくできている。その結果、コミュニティとしての結束力が生まれ、深い人間関係が作れるプログラムになっている。私たち自身、実際に祭りに参加したことで、街の人たちとの距離がグッと縮まった。これはすごいことだと思った。

これまで私たちはさまざまなアートプロジェクトで「街との関係を作る」と言ってきた。しかし正直に言えば、神田祭ほどの完成度をもったプログラムはなかったといっていい。その意味では、アートプロジェクトはお祭りにはとうてい敵わない。

３３３１の場合、この街に神田祭の伝統があったがゆえに、名前の由来のとおり、一つの輪のようにぐるりとつながることができた。このことに気づいて以来、３３３１を展開していくなかでも、私たちは積極的にお祭りを取り込んでいった。「お祭りがうまくいくように３３３１を設計した」とさえ言ってもいいほどだ。

たとえば３３３１の最初の空間設計は、この場所に神輿が置けるように導線をとることから始めた。プログラムが街に作用し、それ自体の完成度によって街の豊かさや価値観が変化していくのだとすれば、そのプログラムで働いている人や、それによって達成されたプログラムの完成度の集合体が「街」だということになる。そう考えると、私たちがアートセンターで作り上げていくプログラムも、お祭りと同じような力をもつものを、違う人たち向けに作っていけなければならない。日本のアートシーンに対して、あるいはこの地域に対する経済的な効果、さらにはより深いコミュニティの問題も含め、社会的な課題を解決するような新しいプログラムを設計しなければならない。

私たちの場合、最初からそのための活動の場として３３３１を捉えてきた。そのもっとも優れたお手本がお祭りだったのである。

東日本大震災でアートが試された

そのことがはからずも証明されたのが、東日本大震災のときだった。

東日本大震災がおきたとき、私たちはちょうど３３３１でミーティングをしていた。千代田区の説明では、この建物は耐震構造的に問題ない、だから地震のときも外に出るな、ということだった。しかし、とうていそんな揺れではなかった。屋内に留まっているのは危険と思えたので、館内放送をかけてお客さんとスタッフ全員を避難させた。

まわりにある高校や地域の住民もみな外に出てきて、3331の公園の前に集まって来ていた。まだまわりのビルはグラグラと揺れていて、コミュニティスペースのガラスも、紙のようにペラペラと、いまにも割れそうな具合に揺れていた。建物自体が「倒れるぞ!」という悲鳴もあがったほどだった。庭に立っている丈夫なクスノキにしがみついている人もいた。

外で待機している間に、退避している人の中に防災の専門家がいることを知らされた。たまたまこの日、3331で東京都が防災関連のミーティングをしており、それに参加した方が「自分は専門家です」と名乗ってくれたのだ。そこで私は、名乗り出てくれた防災の専門家に判断を仰ぐことにし、その瞬間から数日間、私は実質的な震災対策委員長になった。

町会や消防団の人たち、千代田区の人たちは日頃から防災訓練をしているのだが、いざ実際に大きな震災が起こったときには、すぐには動けないことがわかった。自分たちの家族を守る事で精一杯だからだ。千代田区の人たちが来てくれたのは、夜の11時になってからだった。

さっそく備蓄倉庫を見に行き、食料を確認した。ところが「20年モノの梅干し」など、意味のわからないものばかりが置かれており、なんの役にも立たない。昔からの「仕組み」だけが残っていて、時代にあわせた見直しが行われないために、梅干しだけが毎年、蓄積されていったのだ。これは一つの例でしかないが、かなりひどい備蓄の状態であった。

防災センターとしてのアートセンター

その日は夜になっても人が道路に溢れており、帰宅困難者を受け入れるかどうかの判断をしなくてはならなくなった。ところが、その判断を私が下す前に、誰かが「３３３１は帰宅困難者の受け入れを始めています」とツイッターでツイートしてしまった。そのせいで人が一気に押し寄せてきてしまい、これはまずい、という状況になった。

震災の日の夜は駅も大型施設も閉じていた。徐々に大学や学校が門を開いていったが、その前に、３３３１がいち早く帰宅困難者を受け入れるという、間違った情報のツイートがどんどん転送されていった。「なんてことしてくれたんだ、ツイートしたのは誰だ」と思ってタイムラインを遡って見たら、３３３１内のテナントの人だった。これには参った。「すぐ撤回してください」と言って、ツイッターで撤回してもらったが、すでに人の流れがどんどん来てしまっている。だが３３３１としては、それだけの人を受け入れるキャパシティがなく、対応できるスタッフもいなかった。

緊急連絡用の防災無線があるはずだと思い、それを使って区に対していろいろと確認しても、こちらがどんなに喋っても応答が返ってこない。あとでわかったのだけれど、このときは千代田区側がパニックになっていて、防災無線の電源が入ってなかったらしい。「非常時の電話回線があるので使ってください」と防災マニュアルには書いてあったので、よし行こう、とエレベーター脇にある非常時用の電話回線を開けたら、なんと回線だけがあって受話器がない。じゃあ受話器を探して来て合わせよう、と思ったのだが、３３３１内の電話システムはすべてビジネスフォンの仕様で、この回線には使えなかった。つまり、緊急時に反応してくれるはずの仕組みが、肝心なときにすべて機能していなかったのだ。

残念なことに、東日本大震災の際の防災に関して、既存のアートセンターはまったく機能していなかった。３３３１に関しても、私たち自身が避難しなければいけない立場だった。だが、ここから私たちが避難してしまったら、これだけのハコのなかで、いろいろな人がパニックに陥ってしまう。そこで私たちも襟を正し、３３３１に残ることにしたのだった。

まず、携帯電話の電池がなくなると情報をとれなくなるので、充電器のあるところにいって充電し、いち早くネットから情報を拾って流した。テレビからは何も情報が伝わってこなかったので、「３３３１では充電ができます、映像も見られます」と発信したところ、それだけで利用する人が増えていった。備蓄倉庫から毛布とアルミシートを出し私の判断で貸し出しを行った。一晩滞在するのにコンクリートの上では固くて寝にくいからだ。朝は、炊き出しを行い帰宅困難者の方達にふるまった。街が一瞬で危機的状況になったとき、どのように支え合うのか？　生死を分けるまでの状態ではなかったが、東京直下型の地震が来たときに事前復興の考え方を持ってしっかりと準備しなくてはと改めて思う。

「社会」や「街」とつながるプログラムを設計することが3331の一つの理念だとすると、私たちこそが、地域に対する安心・安全の部分を担わなくてはならない。とくにここは、もともと中学校だった場所だ。学校の機能とは、安心・安全を地域に与えることだ。

地域の中には、そこに行けばなんとなくゆっくりと座ることができ、料金をとられずに安心していられる場所が、絶対に存在しなければならない。その意味においても、3331は、街のリビングルームのような空間として24時間体制で施設を守る役割と責任があると感じている。

ポスト3・11のクリエイティブ プラットフォーム「わわプロジェクト」

東日本大震災を機に生まれた、創造的に活動する人たちをつなぐプラットフォームが「わわプロジェクト」だ。このプロジェクトに寄せた私のメッセージから紹介したい。

*

震災で変わった風景と変わらない風景がある。人間がつくり出し、自然に逆らうように存在しているものと、寄り添うように存在しているもの。変わらないことが正しいのか？　変わることが正しいのか？　今、私たちはその創造力と決断力を問われている。

今こそ、文明の傲り（おご）を正し、自然と共生する新しい文明の指針を示さなくてはならない。日本という国家観や、自然観、宗教観、生活観を根源的に問いたださなくてはならない。

「すべてを失い、怖いものはなにもない、犠牲者に恥ずかしくない生き方をしたい」と、岩手・吉里吉里の芳賀正彦さんはインタビューに答えてくれた。瓦礫から被災者自ら薪をつくり販売する「復活の薪」プロジェクトを立ち上げ、地元の山林（資源）を整備できるように技術を教えるプロジェクトを設立したその強い人間力と生きた哲学には、自然と共生するための一つの答えが明快に見える。「里山から出た薪で質素な生活を続けること、そして自然の恵みを授かる術を身につけ、おのれに揺るぎない誇りを身につけること」という言葉には、豊かさの本質を突きつけられ、心に響く。古来、里山や里海という考えには、自然を尊重し、伝統的に自然体系に適切な規模で管理することで、自然災害を受け入れ、回復する方法があった。芳賀さんが言う「質素な暮らし」には里山、里海と共生する、傲らない文明の基層文化が読み取れる。「質素」とはこのうえなく「豊か」なことである。

では、都市においてはどうであろうか？

「わわプロジクト」の活動拠点であるアーツ千代田　３３３１がある千代田区練成公園は、旧東京市の面積の約40％、横浜市の面積約90％が焼失し、死者10万人余りを出すという大惨事であった関東大震災の震災復興公園として1931年に開園している。当時の政府は、震災復興のために大公園を3カ所、小公園を52カ所設置した。小公園は小学校などの用地と併せて設け、公園と校庭の確保という問題を同時に解決しようとした。練成公園もこの震災復興小公園の一つであった。アーツ千代田 3331は、公園と閉校となった学校をデッキでつなぎ、関東大震災の復興計画の意図を継承・発展させた。実際、3・11当日には、この練成公園と元学校が空間的に連動することで避難誘導、帰宅困難者の対応がスムーズに行えた。約80年前の復興計画が具体的に機能したと言える。

成熟社会から循環型社会へ、時代の節目となる転換期であると同時に、首都直下型の地震が発生する確率が70%と発表されている現在、行政の縦割型意思決定プロセスだけではなく、都市という生態系を読み解く領域横断の意思決定プロセスが必要である。そのためにも画一的な文化意識に陥らないために、過去を参照し、文化の多様性を認め、街の自治組織が自発的に動き出すシステムやプログラムを開発することが希求される。

私は戦後の焼け野原は経験していないが、今回の東日本大震災という未曾有の経験は、私達の国家やその仕組の在り方を問い直し、もう一つの価値や考え方に「気付き」の機会を与えてくれた。今だからこそ、想像を絶する果てしない宇宙の渦の中で、今ここに「わたし」が存在していることの確かさをいかに感じ取るかが大切だ。

「わわプロジェクト」は、そのためにも絶望をエネルギーに変え、創造力をもって表現・活動する人たちを支えるプラットフォームとして起動した。変わることも変わらないことも創造のプロセスとしてすべて受け止めることから始めたい。そして、この活動を通じ、3・11を契機に見え出してきた私たち人間の創造力と表現の本質を問いたいと思う。

アートを社会に「拓く」

ある時、福祉施設の人が来てこう言った。

「アートとか芸術のことは、私たちにはわからない。おじいちゃん、おばあちゃんのためを考えてアート的なプログラムをしているけれど、アートというのは難しいですよね」

案の定、いまでも世間では、「アートとは美術館などの中にある価値が保障されているモノ」のことだと思われている。自分たちの目の前にいる、おじいちゃん、おばあちゃんの心の中にもアートが宿っているとは誰も思っていない。

しかし私はこう考えている。創造的になる瞬間はその人の内側にある。外にあるモノは、それを引き出しているだけだ。引き出して感じる力が見えてきた段階で初めて、人はある種の豊かさを感じたり、自分の感性そのものにワクワクしたり自信を持ったりしていく。障害者の方とアートプロジェクトをする中で、こういうことがさらに大事だと思えるようになってきた。

あらゆる表現のなかで、いちばん根源的に深くまで入っていけるのが、アートの強さだ。ものすごい苦しみや、悲しみにまでたどり着く要素があるがゆえに、そのようなアートには、全世界の人が感動する。アートとして価値があるものや優れたものは、もちろんそれを作ったアーティストが深みの中で生み出したものだ。ところが残念ながら、いまの日本では、アートは「箱の中に入った、ある種の価値を持っているモノ」として括られている。だからアートに詳しい人だけはよく知っていても、一般の人にはなかなか伝わらない。

そこで私たちは、３３３１をつくるときの一つのビジョンとして、「ここに来たときに、自分の心が少し拓いて、拓いた中から何か創造的なものが喚起されてくる」そうした瞬間をつくることを描き大切にしている。

こうした感覚は、そもそも街が抱えるはずのものであって、その地で生まれた人ならば自然に喚起されるものだ。お金で買うこともできないし、一生懸命に勉強したり、免許をとったりしてもできないものかもしれない。身体的な文化が宿っていくプロセスは、本当ならば生まれてから20歳ぐらいまでのあいだに、いろいろな経験の中で培うものだ。

障害者の人や専門教育を受けていない人のつくるアートは「アウトサイダー・アート」として括られてしまうが、そのことを措いても、つよい表現意欲と切実さを持っている。日々の中で彼らのなかから生まれてくるそうしたものを、私たちはどう受け止めればいいのか。それもまた「アート」だと言えば、とりあえずおさまりがついてしまう。でも、いま私たちがそれを指して「アート」だと言っているものは、モヤモヤとしていて、人間の生態として本能的なものも含めても、まだまだよくわからない部分が多い。アートとは、そういうモヤモヤとした中の一つの出来事だと大きく括っていいと私は思っている。

ある瞬間で終わってしまうものでもいいし、長い時間耐えうるものでもいいが、瞬間に立ち上がってくるものの場合、その「かけがえのなさ」に対し、少なくとも場が「拓いて」いないと何も生まれてこない。そして「この場所はこうだ」と決めつけているような場所には、そういう「拓き」はなかなか起こりえない。

街内会の婦人部に認められる

街を行く人の中で偶然会った人と、なんとなく立ち話をして、お互いのちょっとした会話の中に人生の片鱗が見える。そんなことがあると、モノを作る喜びだったり、難しさみたいなものがにじみ出てくる。そのときの会話は、非常に密度があるものになる。そんな会話ができる空間や雰囲気のなかで、もう一歩踏み込んで、「実は私はこういうのが好きなんです」という話ができたとき、そこからやっとアートへの道筋が見えてくる。

日本でもそういうコミュニティの関係をつくりたい。でもいまの時代、みんなが自分の心を閉ざしている。最初からプロテクトしているから、そこを突破するための関係を、パブリックな空間で持つことがなかなか難しい。

３３３１に来て、なにかの展覧会やギャラリー、あるいはその他の空間を見ているときに、たまたまその横でおじいちゃんと町会の人たちが会議をしていたり、畳の部屋で子どもたちがワイワイ遊んでいたりする。そういった接続場面を作ることで、自然に「開きつつある空気」を作れるのではないかと思った。空間によって自然にアフォードされる部分を、イベントの回数だったり、３３３１内部の空間的な配置として設計していった。

もちろん、いちばん大事なのはプログラムの内容だ。「これをやりなさい」とこちらから無理やりおしつけて相手の心を開いても、その状態は続かない。３３３１がオープンしていちばんうれしかったのは、町会の婦人部の人から言われたある言葉だった。しかしそれには前段階がある。

ある婦人部の人たちは、最初の頃は「３３３１はとても入りにくい」と言っていた。なぜかと尋ねると、「３３３１にいる人たちは皆楽しそうだから」と言う。「あなたたち、楽しそうでいいわね」と、自分たちの場所ではなく距離を感じるという意味であった。

婦人部の活動

それを聞いて私は、これはまずい、と感じた。３３３１は、町会の人たちも気軽に入って活動できるような場所でなくてはならない。日頃から、自分たちの場所だと感じてもらいたいと思いつくっているのに伝わっていないからだ。

オープン後、いろいろなイベントを３３３１でやるようになってから、町会の人たちも、「自分たちもここにいていいんだ」という気持ちにだんだんなってきたようだ。３３３１のワークショップにも参加するようになり、この場所になじんできた。高齢者の人たちを外に連れ出し３３３１で簡単な活動をすることなどいまは毎週やるようになり利用率が高まってきた。

その後、ある会合で町会婦人部長の方が、こう言ってくれた。

「最初はアートというのがよくわからなかったけれど、最近は３３３１に来て婦人部でいろいろな趣味の活動を好きにやらせてもらっている。だんだん３３３１に来る事がすごくワクワクするけど、こういうのをアートというのですよね、中村さん！」

これを聞いて、私は心から嬉しかった。「すごい、婦人部長！　わかってる！」と思った。ここまで来るのに3年、４年とかかったが、

高齢者から幼児まで

街の人たちが自分から心を開き、この場所を「自分たちのための場所」だと思ってくれた。趣味の活動をするときワクワクする、3331に行くだけでもワクワクすると言ってくれたことに感動した。そうしたプロセスができたのは、3331にとって本質的な出来事だと思う。

街の人とクリエイターが関係しつづけられる接点

3331のような文化施設を作っていくなかでは、地域ときちんとつながるプロセスを経てから、展覧会をしたり自分たちのことを見せる、という手順を踏むべきだ。ところがこの最初のプロセスが、これまでのアートプロジェクトでは、ほとんどできてこなかった。ワークショップやプログラムとして、そうしたプロセスがあったとしても、最初から「別物」という意識が強すぎて、本気でやろうと思っていなかった。

3331を立ち上げるときは、そこの部分でとても苦労した。フレームの設計として、この部分はとても大事なのだ。立ち上げる前、佐藤さんたちのCET（Central East Tokyo）の動きを見て、「デザイナーの人たちは自分たちとは違う」などと、ほかならぬ私自身が思っていたのだから。その壁を越えるために、いまはこちらから向こう側に入っていったり、向こう側からこちらに入ってきたりしている。アートセンターにはこうした、異分野の人同士が交流できるプログラムがなければいけない。

いま、「ファブラボ」とよばれる、デジタルデバイスを駆使した工房的な場所がいろいろとできている。私のイメージの中にも、こうしたものはずいぶん前からあった。ただ、実際にできているMAKE系のファブラボを見ると、ちょっとズレているなと思う。ズレを感じる最大の理由は、その場所に「モノづくり」の道具だけがあってもダメだということだ。それらの道具をどう使うかだけでなく、その道具を「使いたい」という動機が生まれてくるような場所でないと意味がない。

自分はどういうものが作りたいのか、その感情が芽生えるところがあって、そこに現実の道具が接続したとき、はじめて人は「これで自分の考えてるものが形になる」とか、「もっと上手くいく」という状態になる。

だからこそ、人々のなかで動機を喚起する場所、消費ではなく生産する場所、自分がなにか生き生きとポジティブになれる場所があることが、いちばん大事なのだ。本来はもっとそういうところに税金が使われていいはずだが、行政が「文化」というと、どうしても美術館のようなハコになってしまう。そこは単にすでにできあがったものを見るだけで、市民みずからが能動的になれるような、そこでアイデアや経験値を生み出すような空間にはならない。3331もそういう場所として設計しているが、空間の要素としてはまだまだ足りない。今後はそれをさらに街の中に分散させていきたいと考えている。

ポコラート公募展から得た気づき

「ポコラート（POCORART）」とは Place of "Core + Relation ART" を略した造語である。「必然の関係性と逸脱する偶然性が創造する核心的な場」を生み出すこと。大げさにいうと宇宙の成り立ちのような「偶然と必然」をつくり出すことに挑戦していると言える。ポコラートは２０１０年に始まり、これまでに9回の全国公募を実施した。総出展作品は１万１４９０点、応募者は６３７３名、入選者１７４３名、うち受賞者61名である。審査員24名、来場者はのべ５万人である。事業10周年を記念して開催されるポコラート世界展★1には、この国内公募から11名が選考され、20点あまりの作品が出展されている。ポコラート全国公募展 vol.4（２０１３年）の選考員のひとり、脳科学者の茂木健一郎さんは、「脳にとって認識の手がかりはある程度必要だが、それが縛りになってしまうこともある。一つのアート作品に向き合うことは、結局、ひとりの人間と向き合うことと同じことである。そんな『原点』の広さと深さに還ることができた。いくつか、忘れられな

★1　ポコラートの活動を世界的な視点で企画展として開催『ポコラート世界展「偶然と、必然と、」障害のある人、ない人、アーティストの生の表現を世界に解き放つ。』会期：２０２１年7月16日（金）～9月5日（日）会場：アーツ千代田 ３３３１一階メインギャラリー。主催：千代田区、アーツ千代田 ３３３１

い作品があった。つまりそれは、その作者の人生そのものの感触だったのだろう」と語ってくれた。

当時東京国立近代美術館研究員だった保坂健二朗さんは第二回展で、「高齢者の手になる作品が気になった。つくりはじめたのは最近だとなぜかわかる作品を、優しく（でも審査は厳しく）受け止める枠組があるのはすばらしいと感じつつ、ここにある作品を審査する基準は事実上ないのだと思うと、正直ちょっとおろおろした。基準というのは、ある集合の中で相対的に形成されていくけれど、ポコラートの応募作品はどれもユニークで、集合をなさない。それゆえ、ジャッジする側には、審美眼だけでなく柔軟性が、つまり自分の殻を打ち破る勇気が求められている。ポコラートは、見る側にも、現状を打破する創造性を求めるのだ」と、審査する側の姿勢が問われている事を指摘してくれた。

私も第二回展の選考コメントで、「1200点を審査していくことは、見えざる『純粋性』に露光され、邪心をえぐり取られるような経験であった。大学の入試作品を見ることとは真逆である。いかに創ろうかと作為的に表現を組み立てている作品は濁って見えてくる。自分を異端な表現者に見立て演出しようとするその表現意識は、一見強く見えるがポコラートでは通用しない。傾向と対策ではない。しかし、まったく見たことのない、イメージの源泉が読み取れないポコラートの作品は、いかに評価しその価値を伝えたらいいのだろうか？従来のアートシーンではあまりにも濁りすぎている。そのためにも私たちは、その新しいシステムを考え実践することを始めなくてはならない」とポコラートが切り開くアートシーンの可能性について言及した。

ポコラートの活動は、「応募→審査」という公募の関係性を超えた、ただならぬエネルギーに満ちていたが故に、その解読しえない表現性そのもの、人間性そのもの、それを取り巻く社会そのものの在り方を問うように発展していった。特に、２０１４年に開催したポコラート宣言では、「芸術」と「芸術ではないもの」の違いや、それをつくり出す人はなぜ「芸術家」や「アーティスト」という特別な言い方で呼ばれるのか?「芸術」を「芸術」という言葉を使わないで繙く三つのキーワード「純粋」×「切実」×「逸脱」から考えた。アールブリュットやアウトサイダーアートといったジャンル分けに違和感を感じていることもあり、改めてポコラート宣言時に書いた考えを記してみる。

純粋性、切実さ、逸脱という三つの基軸

布に絵の具を塗ったものや、鉄の塊が「芸術」と言われる所以は、どんな点にあるのだろう?

一般的に有名な絵画や彫刻、オペラやダンスのような崇高で、なにかとても価値が高いものや誰にもまねできない行為の事を「芸術」と言う。ではなぜそう言われるのか?「芸

術」と「芸術ではないもの」の違いは何処にあるのであろうか？　しかも、それをつくり出す人を「芸術家」「アーティスト」と特別な言い方をする。いったい、どんな事をできる人がそう呼ばれるのか？　そして「アール・ブリュット」という特別な言い方をしなくてはならない理由は、どこにあるのだろうか？

それらのことを紐解くキーワードを三つあげる。

一つ目は「純粋芸術」「ファインアート」と言われる場合の「純粋」である。多様な創造力の中でも、人間の尊厳を感じる崇高な精神性や豊かな心を「純粋」という。大衆的、商業的、作為的な行為とは対照的であり、その純度が高いほど研ぎ澄まされた人間力を感じる。

二つ目は、極限的で限界な状況に追い込まれた時や、どうしようもなく行わなければならない時の「切実」さである。生きていくことと同様に、つくらなければならない行為や表現の質をいう。例えば、震災で家や家族、お金も失い、何もなくなった時に、生きていくために始める活動は、とても「切実」である。

三つ目は、この「純粋」な精神力を抱き、かつ「切実」な表現活動をし続けている人がつくり出す様々なモノや表現活動が、それまでの状態から他に類を見ない「逸脱」した存在となったときである。時に際立った表現でなかったものが、いつの間にか変化しはじめ、ある時に「逸脱」する存在感を獲得する。この逸脱の創造プロセスが重要である。

「純粋」で「切実」な行為や表現が「逸脱」した存在となったとき、私は、そこに「芸術」

としか言いようのない状態を感じ取る。

何気なく紙に鉛筆でさらさらと描いたものに「芸術」を感じる時もあれば、何十年もかけてつくりだした壮大な建築でもまったく感じない場合もある。それは、私論だがこの「純粋」「切実」「逸脱」という三つのどれかが欠けているからである。いくら高価な材料でつくったとしても「純粋」性を感じなくては「芸術」とは言えない。「切実」な表現でないものは、いかに技術的に優れていても、人間的な魅力を喚起しない。「逸脱」していない状態は、いかに「純粋」で「切実」な表現であったとしても普通な表現しか感じ取れない。


例えば、ポコラート全国公募展で審査員賞を受賞した武田拓さん★2の「はし」という作品を見てみる。

使用済みの割り箸を牛乳パックに詰める作業をしていて、箸が牛乳パックから溢れていても手を止めない武田さんをみて、支援員の方がその牛乳パックを粘土で固定したところ、さらに箸を詰め続けた。周囲の期待と不安をよそに「はし」は、成長しつづけ2カ月で1mを超え、さらに作者の身長を超え最後には、約2mの天井にまで到達した

★2　武田拓［1988年生まれ／山形県出身／社会福祉法人ほのぼの会 わたしの会社、ポコラート全国公募展2011受賞］

そうである。

武田さんの「はし」までは行かないが、時折そば屋で箸立てに限界まで差し込まれている割り箸や、駅の売店で異様に高く差し込まれているスポーツ新聞を見たとき、「もっと高く積み上げてみたい」と一瞬思ったことはないだろうか? 私たちはそれ以上の行為はゆるされないとあきらめてしまうが、武田さんはその想いを一気に振り切ってくれた。

牛乳パックに詰める行為がどう見てもそのサイズで収まるはずはないほど増殖しており、使用済みの割り箸が本来の植物としての生態に戻ろうと自己増殖しているかのようでもある。この差し続ける行為を、ただひたすら純粋に続けて行くと何処まで増殖していくのか最後まで見守りたくなる。同じものが大量に集まってくると、そのモノの構造が自ずと全体の形に影響を与えるように、一本の割り箸と全体の形態感は、ある大きさを超えるとその造形体自体が意志をもつように形態のバランスを取り始める。全体的にうねりのような動きが見え出す。

武田さんは、「はし」に取り組んでからは、全てのエネルギーを注ぎ込むかのように熱中し、自信に満ちた顔で帰宅するようになったそうである。割り箸をただひたすら手に取る「純粋で切実な」制作姿勢は、割り箸のイデアを「逸脱」し増殖しつづける有機体のように生まれ変わった。そこに、割り箸を超えた「進化の意志」を感じてしまうのは大げさだろうか?

武田拓《はし》

また、平野智之さん★3の「美保さんシリーズ」の作品は、純粋性が高い。

作品は、「美保さん」が主人公の映画の絵コンテ作品のような設定になっている。DVDのチャプター画面のような構成で、その物語のあらすじを短編で読みきる事ができる。

作品を読み続けると、美保さんは、いったい何処でどんな生活をしているのかその存在が気になってしょうがない。主人公である「美保さん」は、足以外ほとんど姿は見えないが、些細な日常を楽しみ、トラブルに巻き込まれても楽しく解決していく、明るくちょっとドジな性格のようだ。作品はテキストと絵で構成されており、ファイルごとに物語が断片的に展開していく。

美保さんが履いている「土足」と呼ばれる靴のつま先には、謎の黒糸がついている。「土足」は、殺虫スプレー、スペースシャトル、電車、飛行機と様々なものにトランスフォームすることができる。その突然の変貌で美保さんの生活感や、周囲の社会環境が少しだけ解き明かされる。背景は、線一本で描かれるなど、最小限に空間が表現されている。また脇役は記号化されており、長方形が男性、楕円が女性、

★3　平野智之［1987年生まれ／東京都出身／特定非営利活動法人La Manoクラフト工房La Mano、ポコラート全国公募展2011受賞］

（左上）《美保さんシリーズ パート4》2011
（左下）《美保さんシリーズ パート1》2011

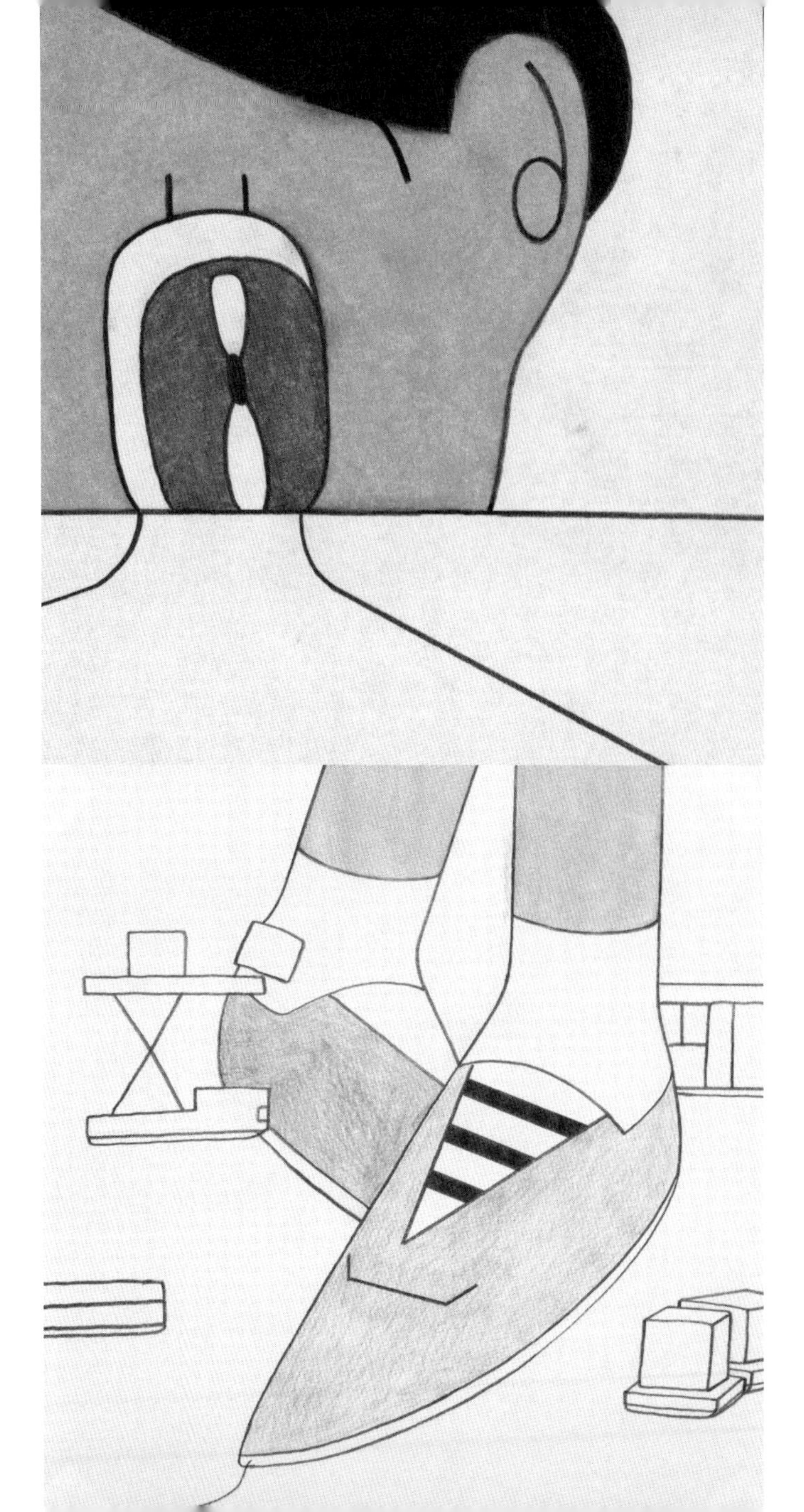

六角形がおばさん、丸が子ども、とその簡略化は情報デザインとしてユニークで完成度が高い。勢いよく描く線描と丁寧に塗り込んでいる色面。このポップで絶妙な構成は、余計な装飾や情報を排除し奥深く豊かな情景を想像させてくれる。何気ない日常の小さな出来事の連続、またその断片を配置していくさまは、枯山水や日本庭園などの抽象化、記号化された箱庭的世界観から真理を設計する意識のようでもある。

「美保さん」への「純粋」な想いが、「切実」なストーリーとなり、何十編もの作品が生まれそのシリーズ全体が表現として「逸脱」している。

この「純粋」「切実」「逸脱」という三つの条件を獲得するには、集中力と持続力が必須である。その為の時間を生み出す生活環境がなくてはならない。日常に「芸術」は宿っているが故に、「純粋」×「切実」×「逸脱」を生みだし、育み、伝える、日常的で「社会に開かれた場」が全国に必要である。

特に、アール・ブリュットと呼ばれる作品や作者には、「純粋」「切実」「逸脱」が強く宿っている。そのどの点も鋭く、熱く、深い。鑑賞者の心が洗い出される。だからこそアール・ブリュットが社会に開かれた場を設計する際の軸になり得るのである。

それでは、その「社会に開かれた場」は、どのようなニーズに対していかなるミッションをもつべきなのか？

高度な情報化社会である現代は、社会的排除の実体が複雑化し、人間力そのものが弱体化してきているように思える。そして、不安定な政治状況や大災害がもたらす社会不安が私達の生活観や自然観そのものに変化をもたらしている。結果、経済優先の社会政策だけでは、廃墟化するシャッター街のように、縮小し均一化する街の荒廃を食い止めることができない。その意味でも労働者、高齢者、貧困者、障がい者、女性、子供、マイノリティ等、市民が抱える様々な社会的問題を緩和し解決するために、深く地域に根ざした新しい文化政策が求められている。

その文化政策の軸として〝社会に開かれた場〟=社会包摂型アートセンターを各地方自治体に設置することを提案したい。そして、アール・ブリュットは、こうした〝社会に開かれた場〟の創造力の基盤となる魅力を持っている。

このアートセンターは、私達のアイデンティティの確立や心身の健康や豊かさを養い、様々な技術や能力の開発を育み、社会参加と自己実現を促す機能を持つ。つまり、地域の特性を読み取り文化的、社会的問題を自立的に包摂、解決するためのプログラムを開発、実践していくのがアートセンターである。言いかえると地域における文化・芸術を育む創造的プロセスそのものをファシリテーションする施設である。街のコンシェルジュ的役割を担い、コミュニケーション力を持ったクリエイターが主導的にディレクションし、空間的には学校や図書館、ショッピングセンター、病院など街の生活軸となる機関と併設できればその機能は、より効果的となる。従来の美術館のように街に単独で機能するのではなく、特徴ある地域環境と複合的に機能するべく設計することが重要である。そのことにより、学校の授業と地域のお祭りが連携したプログラムや、病院の治療計画と連携したワークショップ、商店街と連携した新しい地域ブランド商品等、複合的で実践的なアートプロジェクトが開発しやすくなる。

この社会的包摂を実現するためのアートセンターは、地域での多様な芸術・文化活動を通し、衰えつつある人間力を養う。特にアール・ブリュットや障がい者のアートは、事業の中心的コンテンツとなりうる。福祉施設や作業所と多目的なスタジオ、レジデンスとギャラリーを併設し、様々な「文化治療」を行える地域のクリエイティブハブとして機能させたい。プログラムとしては、地域の社会問題を解決するプロジェクトを拾い上げ、広くコミュニティアートの考え方を応用し企画制作する。外部のコンサルティング会社に頼むのではなく、自分達で持続性ある運営を志すことが地域の文化を生み出す基礎体力となる。私がディレクションしているアーツ千代田 3331は、その意味で日本でも初めてのアートセンターといえる。

大切なことは、アール・ブリュットやアウトサイダーアート等、表現をジャンル分けするのではなく、「純粋」で「切実」な表現を丁寧に感じ取ることであり、そこから生まれる「逸脱」した作品を開かれた世界に解き放つこと。そのためにも、領域や立場、理性をも超えた精神的かつ社会的に開かれた表現の場を生み出すことが、今、求められている。

ポコラートで全国公募展をすることでそれまでに感じとれなかった逸脱した表現に出会い新しい価値観が見えてきた。公募で集まる「作品」のうち、その多くは、逸脱していない平凡なものが多い。これはその施設や学校でどんな指導者がいるかにもよるが、どのような個性や特徴があるかを同じA2サイズの画用紙を与え、同じ素材、同じテーマで描かせると、だいたいどれもみな同じ絵になる。体育館一杯に並べられた作品の中から「純粋」で「切実」で、しかも「逸脱」感のあるものを求めて全国公募を開催し続けてきた。優れた作品には賞を与え新作の展示の機会をつくっていった。地味ながらそのような活動を続けることで、いままで全然見向きもされなかった作品が発見され、その作り手がアーティストとして正当に評価されるような機会を生み出す事に発展していった。

ポコラート全国公募展によって、障害を持っていることのあるなしにかかわらずアートの文脈でその表現性と個性を語る事、評価する事は、少しずつではあるが全国的にできてきた。しかし、福祉→芸術という流れを作った後にも、問題はまだまだ残っている。

３３３１を始めたときから、海外で出会ったような社会的包摂の役割を担う、いわゆる「インクルーシブなアートセンター」を作るべきだという発想があった。イギリスでは元ホームレスの人がディレクターを務めるアートセンターがあるという話を先にも紹介したが、こうした例も含めて、それぞれの個性が発揮できるように仕事が生まれていくべきだと私は思っている。

ポコラートの活動を通じて現場のいろいろな施設に行くと、インクルーシブな考え方を持っているところと、何となくやってはいるけど偏見があってここまでしかできないという施設があることが見えてくる。私たちとしても次のステップとして、３３３１にそのための本格的な「工房」を作りたいと考えている。いまある木工室は、一般の人に入ってきてもらって工房的に使わせるだけの余裕がない。つまり、まだパブリックな「工房」にはなっていない。

工房には、ゆるやかな人のつながりを生み出す機能がある。工房だけが持つ、ものづくりを通じて人のつながりを生み出す独特の文化意識がある。その部分は、行政的にも非常に必要なものだろう。ただしこれはポコラート専用の工房ではなく、ファブラボ的なものも含めた、デジタルデバイスを使えるようにしたい。いずれにしても、もう少し街に開いた工房を作ることが今後の課題である。

アーティスト・イン・レジデンスで多様な文化的遺伝子を呼び込む

３３３１がオープンして以来ずっと継続しているプログラムの一つに、アーティスト・イン・レジデンスプログラムＡＩＲ３３３１がある。

最初は、海外のアーティストとの出会いから招聘し、リサーチサポート、展覧会と制作の全てのプロセスを一緒に行い食事やお酒を共にし、24時間そのアーティストの考えや背後にある文化意識を議論しその同時代感を楽しみながらプログラム運営を行っていた。現在は、岩本町に5階建ての古いビルを一棟借りてＡＩＲ３３３１を行っている。

1階がスタジオ、3階、4階がレジデンス個室、5階が個室と共有リビング等がある。6つの個室があるので最大当時に6人のアーティストが滞在制作できる。スタジオとギャラリーは、３３３１内にもあるのでそこでも制作、発表ができる。プログラムは、招待と有料の2つがある。招待の場合は、航空券、滞在費、食費、制作補助費が支払われる。基本的には、公的助成金と組み合わせて行っており、世界公募をすると2、3百人は応募が殺到する。有料プログラムも世界ＡＩＲプラットフォームであるＲＥＳＡＲＴＩＳに登録しておくだけでも年間の利用者は直ぐに毎年埋まってしまう。

東京に来て滞在制作したいアーティストは世界中にいるが、東京にはアーティストが滞在制作できるようなスペースはなかなかない。今でこそゲストハウスが多くなったが、スタジオ付きのスペースを確保して自立運営するのは、地価が高い東京都心では経済的にハードルが高い。海外からレジデンスにやってくる作家は、自分たちの国で一年ぐらい前からファンドレイジングをして旅費や滞在費をサポートしてもらって応募してくる事が多い。ＡＩＲ３

辛口

３３１の場合も半年前から予約を開始している。月額20万円くらいでスタジオ、個室、コーディネーターがつく。都心でこの条件で運営できるのは、３３３１の物件が破格に安く借りる事ができているからだ。でなければ、アーティストがファンドレイジングして支払えるコストにならないのだ。実際、岩本町のビルも解体まで借りる事を前提に、家賃を安くしてもらい、改修は３３３１のスタッフと私で行ったので初期投資が抑えられて事業化することができた。

東京は、もっとアーティストに優しい街となるべきだ。アーティストが自国の文化的な遺伝子（ミーム）や独自の創造力を持って訪日することによって、国際的文化交流はもちろん東京のアートシーンの基礎体力も増し逞しくなっていく。

ライブな文化政策であるＡＩＲプログラムは、マイクロレジデンスも含めてより展開を広げていくべきである。

しかし、現在、全世界で起こったコロナ禍で、海外ＡＩＲプログラムは成立できない。現状は、国内のアーティストのスタジオ等で回しているが、コロナと共存する社会構造に移行し移動等が以前のように自由にできるようになる事を願うしかない。

お祭りの「記録係」として街とつながる

2010年にできた3331は、まだ10年しか神田五軒町に根付いていない。そもそも私たちはこの街で生まれたわけでもないので、町会の三世代、四世代と、神田五軒町に住んできた人たちとは、同じ土俵では話ができない。そもそも出自が異なる秋田の血が濃い私は、神田っ子の粋な気質を理解はできるにしても、その江戸期から自治をしてきて自分たちの街を守り受け継いで来た人たちとは違うのだ。神田の街を受け継いできた人たちは、江戸文化の文脈を、なにか歴史的な重みがあって尊敬する対象として見てしまいがちである。

私たちは基層文化の厚みの中に入っていかなければならない。けれども、街とつながれるような歴史の蓄積が、私たちの側にはなにもない。蓄積が一切ない中で一緒に物事を作っていくためには、街の人たちを中心にして、彼ら側の視点で物事を考えていくしかない。そうでなければ街から受け入れられないし、そもそも相手にされない。

そこでお祭りにおいて私たちの得意とする映像表現を武器に、神田祭の記録係を申し出ることにした。

神田祭のときはカメラも3カメ、4カメまで入れて完璧な記録を作る。しかも無料でやるからとても人気があり、他の町会からも、こればかりは羨望の眼差しで見られる。写真でも動画でも、私たちがやれば街のおじさんたちが撮ったものとはレベルが違うものができる。動画もきちんと編集し、街の人たちを呼んで上映会までやる。そうすると町会の人は、「3331に頼むと出来上がりが違う。プロレベルのができちゃう」と喜んでくれる。評判を聞いて他の町会からも、「3331に頼んで来年のカレンダーを作ってもらおう」という話が来たりするようになった。

私たちが撮ったお祭りの記録は、その日のうちに飲み会で見せる。すると上映が始まって30分もしないうちに皆、興奮してきて、「うりゃ、せいや！　せいや！　せいや！」といって彼らは、撮ったばかりの動画を見て、エアーで神輿を担ぎ出す。気持ちがそれだけ盛り上がってしまうのだ。上映中、カメラの目を通して町会内の人たちのそれぞれの動きが見え始めるためか、気持ちもほどけ皆笑顔になり映像に拍手とかけ声が笑いと共に起こる。記録が記憶になっていくための感情が喚起される。お祭りに自分たちのできる役割を担い参加することで少しずつ街の一員になっていく。

3331の名前である「江戸一本締め」

〝シャン・シャン・シャン〟と三回手を打つことを三度、合わせて「九（苦）」となり、最後の〝シャン〟でその苦を払い、「九」に一画加えて「丸」になる＝丸くおさまる――おめでたい席で感謝の意を表す風習として、江戸時代から受け継がれてきた手締めの文化である。かけ声の「イヨーオ」は、「祝う・祝おう」が語源とも言われている。〝３３３１〟は、江戸・東京の庶民文化の中心地である神田にちなみ、私たちの活動を通して人や地域がつながっていくという願いを込めた、手締めのリズムを表している。「３３３１」という名前は、コンペが通ったあと何度会議をして案を出しブレストしても決まらなかった。半年たちもう何とか決めないとオープンまでのスケジュールがせまってきていて焦っている中、２００９年5月の神田祭を見ながら閃いた。

　何でお祭りでは、節目節目で手締めをするのか？　この手締めの瞬間に心が一つになり行動が整えられる。手を叩くだけで音と行為、空間を一変させるオペレーションは素晴らしく完成度が高い。誰でもできて時と場所を選ばない。この手締めの在り方を施設名にすることで、私たちの目指すアートセンターを表す事ができると気づいた瞬間だった。

　プロジェクトの名前をつけるとき、「ギンブラート」や「新宿少年アート」「秋葉原ＴＶ」など、私は必ずその場所や地域の名前を入れ

江戸一本締め

るようにしてきた。その地域の名前を加えることで、自分たちの考えだけではなく固有の地域文化の文脈と接続し、作品の成立がその場から生まれて来る関係性を示したいと考えているからだ。３３３１もその意味では、江戸一本締めの音を視覚化することにより、この地域の文化イメージとこれからこの場所で始まる多様な活動をその絶妙な音のリズムで関係づけていくことで、個々のバラバラな存在が一瞬でも丸くつながるアクティブなイメージを生み出す事ができている。発音とすると「3、3、3、1」は一音多く、言いにくい。「3、3、1」とショートカットしている人が多い。しかしこの一音多い発音のしにくさが、逆に記憶に留めるためのフックとして機能しその意味に興味が行く。結果、手締めの音だと分かる事でその名前は、深く刻まれて忘れにくくなる。私たちは、「３３３１」という施設名前にかなり助けられて、運営がしやすくなっている。今思うと、他の候補案だった名前にしなくて本当に良かった。

地域の人も、神田の地に何百年ものあいだ脈々と流れてきた、この一本締めにこだわりがある。厳密に言えば、これは「江戸一本締め」ではなく、「神田一本締め」なのだそうだ。一本締めと言うと、一丁締めと誤解し「シャン」と一回だけで終わると思われがちだが、そうではない。

手締めは、中締めと呼ばれ宴会などでもその最後に行う。終わりなのに中締めという。この会が終わっても、その次にまた御縁があるように、終わりではない事を配慮した言い方だ。

大締めは、お祭りの最後の最後、直来の時に行う。この時だけが三本締めとなる。大締めをするとお祭りが終わったという実感がする。

手締めも、ずっと観察していると、その人その人で癖があることがわかる。呼吸の取り方、何か最初に一つ話してから手締めをするときの立ち方、腕の上げ方、手拍子のリズム、合いの手の入れ方などが、みな少しずつ違うのだ。10年も見ていると、批評性が出てきて目が肥えてくる。粋な手締めのクオリティがだんだんわかるようになってきた。

「3331モデル」を作りたい

閉校になってしまった学校の跡地をどう利用するかは、いまや全国的な課題でもある。地方だけでなく、都心でも地域コミュニティが空洞化しているという問題がある。他方、アートの文脈では、本書のテーマである「アートプロジェクト」という考え方が徐々に広がってきている。モノだけではなく出来事をつくる活動性そのものがアーティストの表現の中心と位置づけられてきている。ソーシャルエンゲージドアート、リレーショナルアート、コミュニティアート等、そのアートプロジェクトの表現性を言いあらわす概念も少しずつ認識されてきた。

そこでアーツ千代田３３３１を「３３３１モデル」として新たなアートプロジェクトの

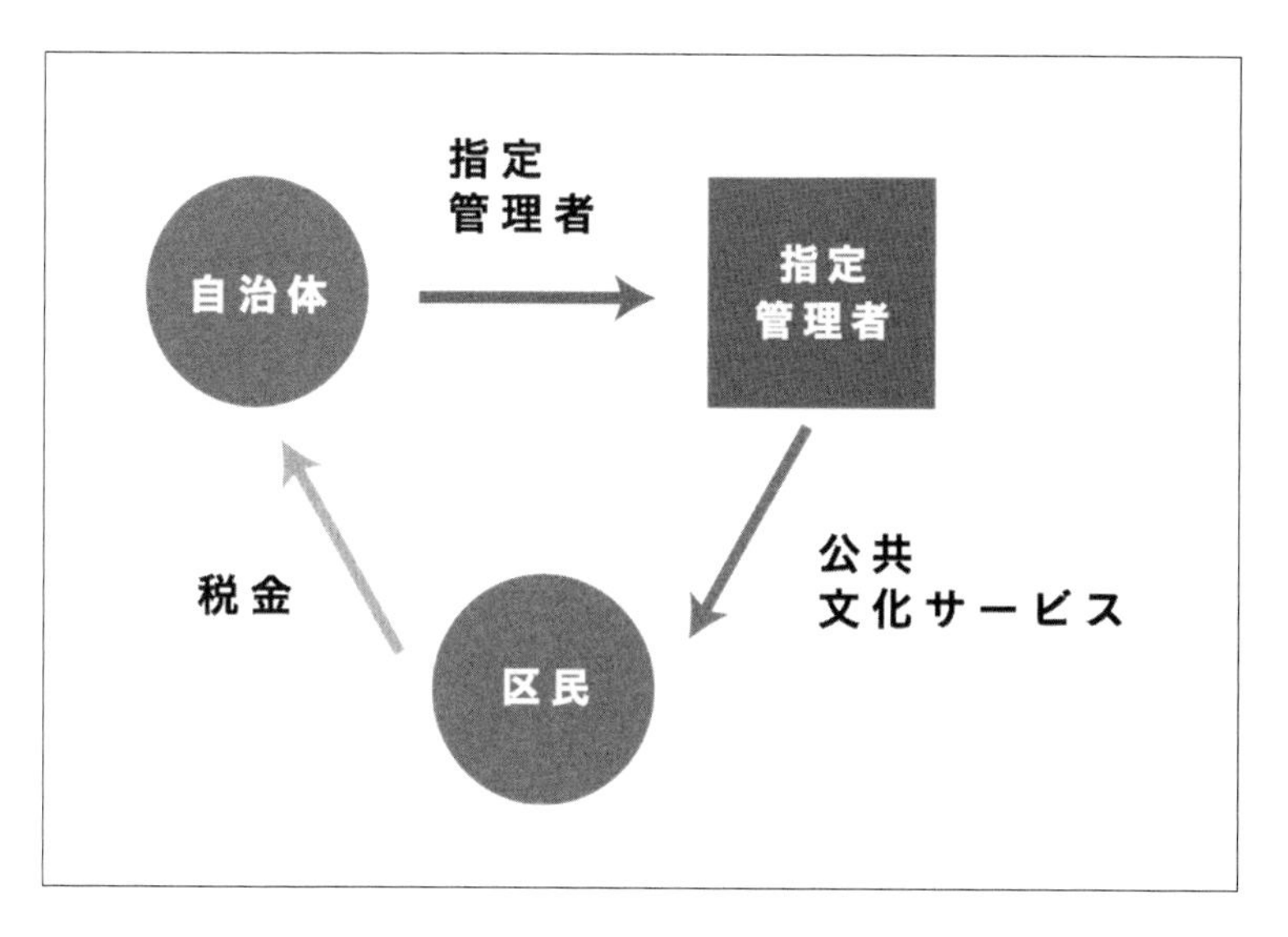

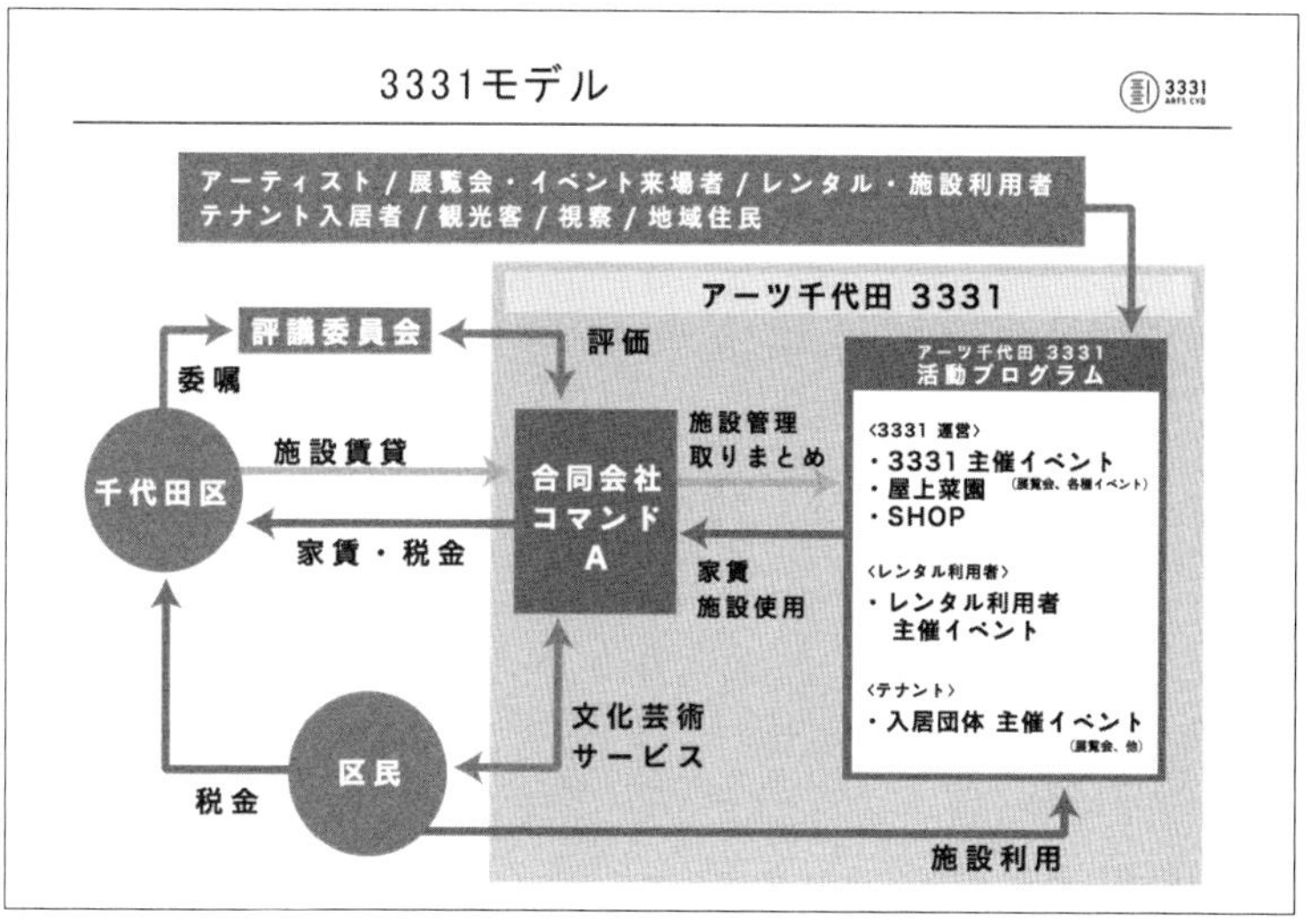

指定管理方式と 3331 モデル

形として考えてみる。公民連携し民設民営の新しい文化施設のビジネススキームとして捉えてもいい。

一般的な指定管理の場合、自治体から指定管理者へ運営事業資金が支払われる。指定管理者は、公共、文化サービスを区民に行い、区民は税金を自治体に納める。3331モデルの場合、自治体である千代田区への賃貸借契約に基づき家賃と税金を納める。このお金の流れが指定管理とは逆なことが最も大きい。3331の運営会社である合同会社コマンドAは、独自の活動プログラムを作り施設利用者から入場料等を支払ってもらう。地域住民など区民の方には、無償や低価格で利用できるように文化・芸術サービスが施策される。千代田区は、評議委員会を設置して計画通り運営されているかガバナンスチェックを行う。元中学校という公共施設を公民連携し民間で自立的に文化施設として運営する事に成功している。

このビジネススキームを3331モデルとして全国の文化施設に応用するのである。

地域とは一つの大きな「森」

3331のある外神田から南に下り、神田川と中央線の線路を越えて行くと、靖国通りにぶつかる。ところが、同じ神田でも靖国通りの向こう側まで行くと、明瞭なイメージがうかばない。そのこと自体が面白いと思っていた。もともとコマンドNのオフィスは、この何もないエリアにあった。そのときも、何もないからといってこのままじゃいけないと思い、自分からプログラムを作っていったのだった。

「トランス・アーツ・トーキョー（TRANS ARTS TOKYO）」を舞台として、写真家の池田晶紀が神田っ子のポートレートを撮り続けた「いなせな東京プロジェクト」や、デザイナーの佐藤直樹が本格的に絵を描きはじめた「そこで生えている。」がスタートしたりして、さまざまな文化的な動きが相互につながっていった。その場所が仮設でも工事中でも、楽しいことが大規模にできるので注目が集まる。街が新陳代謝をしていく際の、ビルの最後の使い方を提案していったのが「トランス・アーツ・トーキョー」というプロジェクトだった。

そのときのお金の考え方も、３３３１を立ち上げたときとまったく同じだ。

私たちの側では、この街に積極的にアーティストを受け入れていく。再開発によって街が新陳代謝していくプロセスに、積極的に文化的なクリエイターを取り込んでいく。これは私たちにしかできないことであり、最終的に街の感度が高まり、そこに集まる情報の質が高まる。

そこで、たとえば家賃全体のうち、私たちは70パーセントに相当するぶんだけを出す。残りの30パーセントについては、私たちが文化的な活動を行うことで経済効果をもたらすかわりに、大家さんのほうで出して下さい、というプレゼンを行った。大家にしてみれば、賃料はたいして変わらないかわりに、街にとってこれだけのいいことがある。そう交渉して家賃をグッと下げてもらい、作家に対して安く貸せるようにするのだ。

この考え方の土台には、地域とは一つの大きな「森」だという認識がある。小さなビルの大家さんから、中間のデベロッパー、大手ゼネコンまでが、森の生態系のように全部つながっている。ところが、そのなかでもいちばん最後の、小さな不動産物件の面倒を誰もみようとしない。「東京R不動産」をもじっていえば、私らがやっているのは「Z不動産」といえるかもしれない。Zはターミナルケア（終末医療）のZであり、絶望のZだ（第1章67頁参照）。

3331の場合、プロジェクトを支える大きな箱として旧練成中学校の校舎があった。「トランス・アーツ・トーキョー」では、そういった箱は目に見えない。そのかわりに活動自体を提供することで、新たな人間関係や信頼関係ができている。いろいろなことを一緒にしてきた東京文化資源会議も含め、錦町の再開発については登場人物が見えてきたので、その人たちとの信頼関係のなかで、今度はこういうことをやろうと提案できる立場になってきた。

アートの外の世界とつながる必要

こういう一連のプロジェクトを進めていくなかで、アート界の「外」にいる人たちと接するうちに、分かってきたことがある。それは彼ら自身も、自分たちの街の将来をとても本気で考えているということだ。経済的な面だけを見ても、あるビルを駐車場にしないでただ放っておくだけで、税金が数千万円も飛んで行く。つまり、本気で考えざるをえない人たちのレイヤーが、私たちアートの世界のほかにもう一枚ある。

私たちはそこに対しても、いろいろなアイデアを出すことができる。かりにプロジェクトの全体を動かすことはできなくても、端っこからクギを一本ぐらい打てるのではないか。これからは神田という地域全体と、そういう関係を作っていくことが大事だと考えている。というのも、3331はあくまでも期限付きのプロジェクトなのだ。

建物は5年契約なので、その度ごとに契約更新をしなければならない。さいわい、いまは千代田区側の評価も高いけれど、もしもなにか政治的な思惑などがあれば、いつなんどき、ここを壊して巨大マンションにする、といった話が浮かび上がってもおかしくない。やろうと思えばいますぐにでもできるし、地域の声も、それを止められるほどまでにはなっていない。

同じ神田の中で、私たちが神田錦町のエリアまで攻めていったり、3331以外にアクティブなアートセンターをもう一つ、街の中で作りたいと考えているのは、そういう背景もあってのことだ。

これらのプロジェクトは全部が一体となったコンプレックス（複合体）だから、それぞれの街の中で、それぞれのレイヤーの動きが見えればいい。文化には豊かな多様性があるように見えるけれど、街そのものがもつ多様性と比較すれば、まだまだといえる。文化やアートはもっと街の中に入っていくべきだし、本来は街の中にある出来事と３３３１の動きが連動すべきなのだ。

当面の私の仕事は、そこに向けて自主財源でしっかりと経営体制がとれるようにすることだ。補助金などに頼らなくても、ここまで書いてきたことができるようにするのがミッションである。

最近、ある学生に作品を作る予算はどうするのかと聞いたら、補助金の申請を出してもらうつもりなので教えてくださいと言われた。それを聞いて、私はがっかりしてその学生に言った。作品を作るのに、最初から補助金で作るつもりでどうするのか。補助金がなかったら作れなくていいのかと聞くと、「いや作りたいです」と言う。

そこで、「もし作りたいなら、まずは自分で作れるスケールのものにしたらいい。作るのに半年かかるというなら、毎月の生活費20万円の半年ぶんの3割36万くらい、まずそれだけのキャッシュを作ることを考えたらどうだろう」と私は言った。それはできるのかと聞くと、学生は「できない」という。始めからあきらめて補助金頼みにしているのだ。アーティストを目指す学生は、あまりにもお金の流れのことを考えなさすぎではないか。

アートの分野は、受注生産ではない。だからお金の流れは、別のかたちでつくらなければならない。３３３１の場合も、街のなかにある金の流れを受け止める仕組みをつくらないといけない。

そのために必要なのは、ひとことで言えば「信頼のない人とは仕事をしないこと」だ。ここでいう信頼とはアートの質における信頼ではなく、街の文脈からみたときの信頼だ。アートの目線、クリエイターの考えを主軸に語っていくのではなく、街の目線で物事を語らなければならない。ようするに、これもお祭りと同じである。

従来の美術館や、アートに限定された特別な空間ならば、これまでのようなやり方でもいいかもしれない。でも、私たちがやりたいのは「日常の中のアートセンター」なのだ。日常はどこまで行っても日常であって、アートセンターだけが治外法権になるわけではない。

３３３１でも経済的な部分をしっかりすることで、文化的なスケールを大事にしている。施設のなかにはカフェや売店など商業的なものも入れながら、街の中のお金の流れを引き込んでいる。私たちのことを街の人たちが信頼してくれて、私たちに仕事を頼んでくれるような関係にならなければ、その関係は本質的なものではない。これからはもっとそこにチャレンジしていきたい。

神田錦町の再開発についていえば、10年、20年という時間がかかるだろう。ビルを建てる構想が固まっても、それから10年間も動かないなどということが平気で起きる。建物をいったん壊し、税金対策として更地を駐車場にしても、駐車場のままで何年も経ったりする。でも、もし神田錦町のエリアでそれだけの間なにも行わずにいたら活動性がなくなり、「死んで」しまう。

だからそうなる前に、もっと文化の面でも積極的に介入していき、３３３１のようなアクティブな考え方を入れていかなければならない。そうすれば、いま駐車場になっているところも使おう、工事中でも、空いてるビルも使ってみようなどと、こちらからどんどん提案していける。その一方で、リスクのほうはいろんなスポンサーに分散していく。リスクをとってもらう順番は、再開発で最終的に勝つであろうところと協力関係を構築していく。街の文化をまもっていくためには、そういうことを考えていく必要がある。

アーティスト・イニシアチブの必要

コマンドＮの初期の段階から３３３１まで、アーティスト・イニシアチブと言ってきた思いは、いまも変わっていない。「主導権（イニシアチブ）」を誰が持っているかといえば、個としての中村政人ではなく、アーティストとしての私の立ち位置、東京なり日本なりのアートシーンで自分がどういう立ち位置でいるのかを考えた結果だといっていい。

これまでの経験で言えば、アーティストはいつも受け身だ。

自分が企画して展覧会をしたくても、場所や予算がないからできない。作品を売れない。

自分でするのは作品を作ることだけ。逆に言えば、これは「強い人に弱い」ということだ。このままでは、アーティストはお金にも、展覧会にも、キュレーターにも弱くなってしまう。でも、アーティスト・イニシアチブならば、アーティストたち自身がすべての物事を決定できる。私たちが決定して、「友達だからやろう」「面白いからやろう」でいい。まずは「面白いからやろう」という形が作れないと、ローカルな中で芽生えているものがいつの間にか消えて、外の強いものに負けてしまう。

ある美術館の諮問委員会にリニューアルのためというので何度か出たことがある。そこではヨーロッパの1920年代の芸術運動のコレクションを50年ぐらいかけてやってきた。そして、これから先もやるという。なぜやるのかと聞いたら、「まだコレクションが完成していないからだ」という。美術館のコレクションがなぜ、その芸術運動を軸に収集計画を作っているのか？　ヨーロッパのお宝をなぜ、一地方美術館が半世紀もかけて守らなくてはならないのか？

正直な話、その芸術運動をこれから先、そんなに集めてどうするのかと私は思う。学芸員の研究のためだけに、誰もお客さんが入らないような展覧会をやり、多額の税金を投入して買ったヨーロッパのお宝を保管している。その諮問委員会で私は、リニューアルとは、美術館のコレクション方針から変えていき、いかに地域文化をアーティストと作り上げていけるのか？　ヨーロッパの倉庫としての美術館ではない、日本の生きた創造に対応できる機能やコレクションを生み出すべきだ、というような事を発言した。

結局、日本の美術館は、美術史上の研究按分を行っているような考えでしかなく、評価が定まっている安心できる作品の保管場所としてしか機能していない。日本のアートの消費構造や、アート市場が育ってないのは、日本の近現代のアーティストの作品をコレクションする収蔵方針が作れないからである。全国には、1000館を超える美術館があるにもかかわらず、日本のアートシーンを動かす原動力をになっている美術館は数少ない。そのほとんどは、倉庫としての機能である。全ての美術館で、自分たちの考えを打ち出した生きたアーティストの企画展を年間1本だけでも作れれば、1000人のアーティストが発表するステージがひろがりアートシーンは動きだす。自分たちが作ってきたという自負も経験もないままに「アート」という言葉を使ってきたから、生きた人を相手にせず、亡くなって価値が高まっている人の作品だけを集めてしまう。日本にアートシーンが広がらないのは、そこに最大の原因がある。

時間がかかることだけれど、私たちがコマンドNの頃からずっとやってきたような、アーティスト・イニシアチブというやり方が大事だという思いは、いまも変わらない。キュレーターやマネジメントをしている人に主導権をとられるのが嫌だという話ではなく、作る立場の人がもっと主導権を持って街に立つことをしないと、なにひとつはじまらないのだ。

「インサイダー取引」が許される世界

海外の場合、その街に美術館を作ることは、自分たちの街のプライドであるとともに、アートマーケットの一つのルール、アートのゲームの中での勝ち方にもなっていく。その美術館が優れたコレクションをもつ美術館として名前が上がれば、そこで作品を買うことにも、それだけステータスがつく。たとえば「ＭＯＭＡにコレクションされた」といえば、他の一般の美術館にとってその作品はお墨付きを得たようなものだ。お墨付きをもらった作家の作品ならば、コレクターも買いたくなる。

事態が複雑なのは、たとえば美術館の中にいるボードメンバーの大半が、財界のトップの人だったりするからだ。大きな企業が寄付を連ねて美術館を支えているわけだが、企業のトップの人がコレクターだったりすると個人でも作品を買える。

しかも彼は、「これからどのアーティストの評価が高まるか」という情報をすでに知っている。美術館で個展する作家や、自分がボードで決めた作家を、出所のギャラリーに行っていち早く壁買いすることもできる。アートの世界は、実はそういった「インサイダー取引」のようなことをしても許される世界なのだ。誰かがある作家の作品を「壁買い」し、それらを著名な美術館で個展として披露すれば、当然その作品の値段が上がる。コレクターは上がった段階で、その作品を売る。

こうした事実をひどいことだと思うかもしれないが、アート界においては、高値で買われたことでそのアーティストだけでなく、現代アート全体のバリューが上がり、市場価格が上がるということで良しとされる。

情報だけをうまく操作して、売り目的だけで描かれた、いわゆる「売り絵」というものもある。たとえばクリスチャン・ラッセンの絵は、明らかに売るために作られていて、昔は秋葉原でもよく、オタクの人たちが狙われてローンを組まされていた。姑息な手段ではあるけれど、それはそういう作品にニーズがあるからでもある。

三つ巴の輪

３３３１の主催事業の内容は、この10年の間に少しずつ変化してきている。主催イベントでは少しずつ、自分たちのやりたいこと、３３３１でなければできないことが、少しずつできるようになってきた。現代美術という軸をさまざまに調整しつつ、この場所と親和性のあるものの中から、エッジなものを少しずつ展開していった。

コマンドNではもともとエッジの利いたことをやってきた。だが、それをそのまま３３３１の中でやると信頼性がなくなってくる。事業の流れとしてはそれが大事で、はじめからエッジなものから始めていたら、街の人が心の壁を作ってしまい、なかなか中に入ってこなかっただろう。２０１７年の４月から６月にかけて行った佐藤直樹の個展《秘境の東京、そこで生えている》は、その意味ではエッジでもあるし、３３３１とも親和性がある企画だった。

いまはお祭りも含めて、「アーツ（ARTS）」という言葉の複数形の部分が、少しずつ融合し始めている。まだ完全に融合しているとは言えないが、なにか目的をもって３３３１にやってきた人たちが、目的の場所やイベント以外にも立ち寄って行くことが起きはじめている。「箱の中」の展開と「箱の外」の展開をクロスさせるのが次のポイントだ。そこはまだ積極的に見せていない。地域とのあいだで、よほどの信頼がないとそれはできないことだからだ。

さきに触れた「東京ビエンナーレ」のような催しは、その土地のリーダー的な人とフェイス・トゥ・フェイスの信頼関係がないとできない。でもお互いが信頼し合い、自信をもって協力し合うことができれば続けていける。

そもそも「街」とはシェアしていくものだ。シェアしている感覚が、そのアートイベントのおかげで生きてくるようなものでなければ、すべてお金で解決しなくてはならなくなる。どこかの場所を使いたいというと、すぐに施設使用料はいくら、という話になってしまう。そうではなく、彼らのイベントは私たちも手伝うし、私たちのイベントは彼らにも協力してほしい。少なくとも、今後は協力していく、というぐらいの関係になっていけばいい。３３

31の次のステップはそこを目指している。

神田地域には文化的資源がたくさんあるにもかかわらず、それを大事だという人がとても少ない。でもそのことを理解してもらうには、立場を変えて、読み替えをしてみる必要がある。アート界の人でなくてもわかるように言葉を翻訳してあげる必要があるのだ。

アートのコミュニティの中にも産業的な側面があるし、街のなかにはアートの範疇に入らない事業体がある。当然ながら、それぞれで文化も違う。地域コミュニティには町会の人だけでなく企業もいる。町会、行政にプラスして、企業という柱がもう一つ立っている。この三つがクロスした「三つ巴」の環のようなイメージでコミュニティを考えたい。

神田祭を大事にしている層は、建物の大家さんに多い。ビルの所有者の人も、戦後の高度成長の頃に、いち早く神田がビル街化しているのを経験している。そういう意味では、彼らとしてもプライドがあり、それが現在まで受け継がれてきている。たとえこのあたりが再開発され、すべてがなくなってしまったとしても、いまならばそこの記憶をアートのプログラムで残すことができる。

他の地域でそういうことを始めようと思ったときに、こういう方法論と、こういう思いがあればできるということを示したい。新しく始める人は、私たちがそのためにかけた時間ほどかけなくても、たとえ一年、二年でもいいから、そのプロセスが短くてすむ手伝いをしたい。

それを「３３３１モデル」と呼ぶかどうかは別としても、次の時代を作っていきたい人たちが、経済的な部分の自立も含めた仕組として、３３３１で私たちがやったことを参考にしてほしい。

私たちは街の一部である

それぞれのプログラムでの経営的な動きとは別に、３３３１の場合、スタッフのエネルギー、スタッフのスキルも大きかった。３３３１は最初、わずか５人で始めた。役割分担は、私以外の４人が地域担当、施設管理、テナント営業と企画、主催事業の企画担当だった。このうち地域担当と施設管理の担当は、どちらもアーティストだった。現場の施工もアーティストである彼らがやった。

たとえ昔とは質が違ってきたとしても、祭りで神輿の指揮をとる「杮頭（きがしら）」的な役割は、街の人たちの信頼がないと調整も何もできない点では同じだ。信頼がなければ、これまでやったことのない新しいプロジェクトにも取り組むことができない。そこで３３３１では、「地域担当」というポジションを作り、いまは専従で３人が地域に張り付いている。街の人に顔を覚えてもらってナンボという、コミュニケーション担当の役割だ。なにより、会話をしていて楽しくなかったら話にならない。

地域でなにかを作ろうとしたときに、最初のスタッフ配置や配分はとても大事だ。テクニカルなことを言うと、じつはいちばん難易度が高いのも地域担当だったりする。この役割は、ようするに地元のおやじにいじめられたり、セクハラされたりする役割だから、みなが嫌がる。美術館を建てるときにも、そういうことは絶対にどこもやらない。表面的に地域に入っていっても、一度だけ商工会議所かどこかの会議に顔を出して終わり。そういうおつきあい程度ではなく、私たちは街の一部であるという意識、街にがっぷり入っていくという気概が必要なのだ。

お祭りの段取りのスケジュールを組むにあたっても、最初はどうしていいか、私たちは何もわからなかった。だけど10年がたち、いまはすべて自分たちで組めるようになっている。何時何分にどこを出発し、神社到着は何時か。どの役割を誰に振り、町会のこの人に付けという指示も出せる。全部の配置図ができていて、適切に指示出しができるようになった。

町会の人とのミーティングを重ね、撮影のためのカメラ位置はここに何台、交代要員はどこで出る、ということまで理解できるだけの実力がついてきた。町会にもその担当の部署があり、そのおやじさんたちと酒を交わし続けてきた流れがあって、はじめてできる話だったりする。

この部分は、まったくお金を生まない部分ではある。でもそのおかげで、いまは子どものワークショップをする場合にも、日比野克彦さんのようなアーティストがここで何かをやると言ったとき、町会の人がすべてバックアップしてくれる。3331を始めたばかりの頃は、町会の人はそういうワークショップには絶対に来なかったのに。

いまはチラシのデザインも町会の人向けにわかりやすいよう、意識して大きな漢字で作っている。チラシを回すときのスケジュールの組み方もわかってきた。この人にこの時期にこれを渡し、町会の会長の了解をいつとって、どの段階で役員会にまわして了解をとればいいのか。チラシを全町会にまわせばお墨付きが来るから、そこで決めてからチラシを持っていけば、あとは町会の人たちが手で渡してくれる。それぞれに自分の担当エリアがあって、その婦人部の人たちが一軒ずつ訪れて、1枚1枚手渡ししてくれる。そういうことも分かってきた。

江戸期からこの地にはそういう流れが自治とともにあった。いまの3331も、その流れの伝統のなかでできている。

東京を超えろ!
「一点突破、全面展開。」TRANS ARTS TOKYOのチャレンジ

2012年から2017年まで開催された「トランス・アーツ・トーキョー」は、2018年の「東京ビエンナーレ構想展」、2019年の「東京ビエンナーレ計画展」へと進化し

ていった。特に2012年の旧東京電気大学11号館の全てのフロア（地上17階、地下2階）を使い約200人のアーティストに全ての空間を開放した時の瞬発的なクリエイティブエネルギーは、それまで出会うことがなかったアーティスト達を刺激し文字通りトランスするアーツが激しく創発された。当初200人くらいのアーティスト参加であったが、いつの間にか自己増殖し、後半は300人を超えるアーティスト達が事務局にはなんの報告もなく展示発表する密な空間へと変貌していた。個と全体の関係は、一点から全面に展開するとすれば、全面に展開した後の全体性は、新たなそれまでにない個を求めて自らを拓いていくプロセスを生み出す。

東京に乱立するビル群において解体直前の半年は、アーティストに開放するという3331を超え、街を超えるアートセンターを創りたいという私個人の想いへとつながった。

その原生の森において、生態系はそこで生きていく動植物、微生物にお互いを相補・創発する関係を与えている。光を求める葉一枚一枚が、お互いに傷つけあわないように絶妙に枝を伸ばしていく。傷をおってしまうとそこから菌が侵入し腐敗していくことを知っているからだ。葉の一枚一枚の形は、微妙に異なりその多様性は、どこまで進化してもその可能性を失わない。

森の中での葉一枚の存在は、一本の木を支える存在であり、一本の木は、隣接する木々と同期しながら林をつくり成長する。林の木々は、ある一定の高さに育つとそこで森として他

2012年／TRANS ARTS TOKYO 2012

旧東京電機大学校舎11号館を地下から最上階まで使用した展覧会。全19フロアに300名以上ものアーティストが集結し、展示をする作家もいれば、滞在制作を行う作家、また会場で出会った作家同士がコラボレーションをはじめるなど、"つくる"エネルギーに満ち溢れた展覧会となりました。

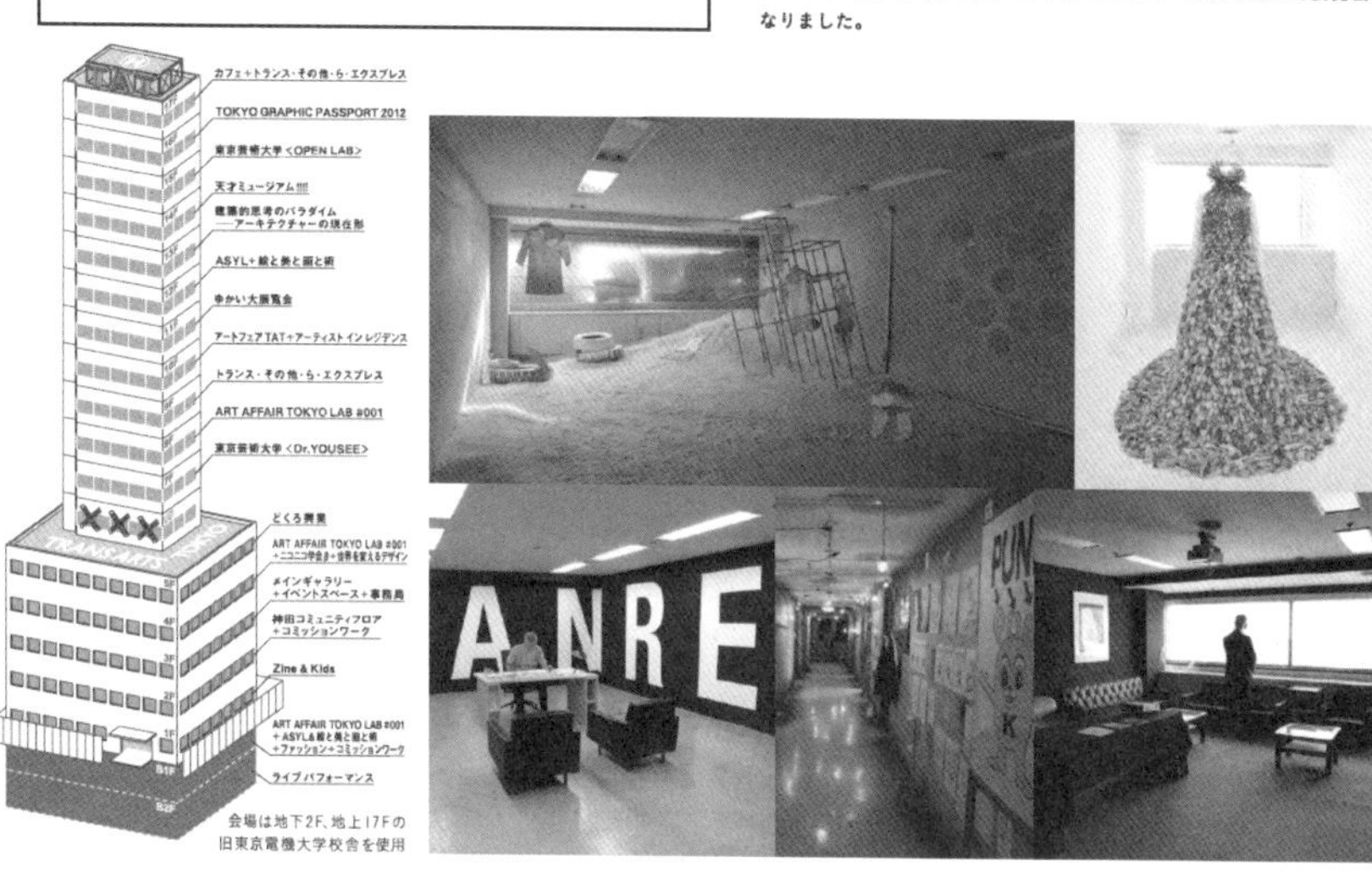

会場は地下2F、地上17Fの旧東京電機大学校舎を使用

の森との関係を相補するために成長を止める。根は、地下深く広がり地盤をしっかりと固める。落葉と微生物は、光と水を栄養に豊かな腐葉土となり、森のエネルギー源となっていく。豊かな栄養がある森には、自ずと野生動物も生き生きと成長し循環する生態を保っていく。

さて都市の生態は、どうであろうか？

一人の人間の可能性に光を与え続ける事ができているだろうか？ この街で子供を育て家族を養っていく希望を抱くだろうか？ 保育所に入るために無理に引越し、共働きでポイントを加算しその権利を得なくてはならない。男女共同参画と唱えても、死に追い詰めるほど過剰な労働は、差別と格差を生み出していく。コミュニティは崩壊し、スラム化する中心市街地は、補助金漬けで腐敗していく。過剰な資本主義の都市構造は、自らのインフラを税収では守り支えることもできなくなるほど肥満化し老朽化する。黄砂と花粉にまみれ、異常気象とエアコンの室外機の熱風にさらされ、止められない原発の電力に依存し、北からのミサイルと巨大地震におびえ暮らすしかない。右翼化する政治は、残虐な戦争の歴史を忘れ、国家の名の下に権威を振りかざし暴徒化する大衆の逃げ道を塞ぎ洗脳していく。自然の生態系を無視し開発し続けてきたつけは計り知れない。一触即発の世界の緊張を強いられる中で、私達は何をしなくてはならないのか？ この過剰に発達した都市は、もはや一人の人間の成長を安心、安全に支える事はできない。都市の生態系は、完全に麻痺してしまっている。SF映画のように第3次世界大戦が勃発し都市が崩壊、ガレキの森に還るのを待つしかないの

SC-6

か？

しかし、ここで諦めるわけにはいかない。都市の創造力を刺激し、新たな価値を創り出すためにも、町会から大企業、大学など街を形づくる全ての人達を巻き込み、一歩前に踏み出す事を始めるしかない。

第1回目の「TRANS ARTS TOKYO 2012」でのステートメントを次のように書いた。

超えろ！
何を恐れているのか？
何をこだわっているのか？
終わりのない変化には、容赦がない。
今しか超える時はない。
絶えず変わり、何度でも超えるしかない。
記憶を超えろ。
歴史を超えろ。
街を超えろ。
政治を超えろ。
デザインを超えろ。

建築を超えろ。
ダンスを超えろ。
ファッションを超えろ。
音楽を超えろ。
写真を超えろ。
映画を超えろ。
ゲームを超えろ。
メディアを超えろ。
大学を超えろ。
自分を超えろ。
アートを超えろ。

都市の生態系が自ら変わるためには、今までの世界観をそれぞれの領域で超えるしかない。自らの限界を超え「一点突破、全面展開」するしかない。都市開発の名の下に、歴史や文化を切り捨ててはならない。江戸期から培ってきたソーシャルキャピタルを基盤に、文化をつくり蓄積する社会へシフトチェンジしなくてはならない。「TRANS ARTS TOKYO」を超えて進化した「東京ビエンナーレ」は、街のすべてを受けとめるアートプロジェクトの新しいフレームとして、オルタナティブな精神力を東京に与えていく。

終章

コミュニティ・アート
プロジェクトを運営する

自分たちの街でも地域密着型のコミュニティ・アートプロジェクトをやってみたいけれど、どこから手をつけていいのかわからない、という人は多いだろう。そこで私たちが秋田県大館市で行った「ゼロダテ」の経験をもとに、実際にアートプロジェクトを立ち上げるときの基本的な流れを紹介したい。もちろん絶対的な正解があるわけではなく、私たちもいまだ試行錯誤の日々である。その地域やメンバーによって様々なやり方があると思うので、あくまでゼロダテの場合ということで参考にしていただければと思う。

ビジョンを掲げる

まずはそのプロジェクトを通して実現したい夢を掲げよう。なぜそのプロジェクトを始めなくてはならないのか、しっかりとイメージすることが大切だ。その動機は何か。地域の社会的・文化的な問題から、自分自身の生き方や家族のあり方など、街や自分のアイデンティティの形成に関係することほど、切実なプロジェクトとなる。

そして、そのような切実な思いから革新的な「ビジョン」が生み出される。たんなる空想ではなく、こうなってほしいと望む近未来像のことである。根源的な問題であるほどすぐには解決できないが、そのためにも考え続け、行動を続ける強い動機が必要とされる。

このビジョンから、具体的なプログラムを考えていく。そのときは現状の問題と相補的な関係になるようにコンセプトを設計するのがよい。「相補的」とは、陰／陽の関係のように自然界に存在する大きな秩序のことだ。男／女、明／暗、水平／垂直など、お互いを補うように内容を関係させることで、生態的バランスがとれる。

人の行動を喚起する場合も、時間軸を伴って相補的プログラムを取り入れると持続的活動を生みやすい。たとえば地域の消費構造が変わりシャッター街となった商店街に、同じような商店を再び開業しても営業は成立しにくい。そこでゼロダテでは、空き店舗を掃除する作業を通じて、まずは街に触れる感覚を呼び覚ました。そのうえで美術展を毎年開催することとし、店舗から街の空間へと商店街の概念を拡張し、読み替えた。

新陳代謝を止めてしまっては、街は固定化・スラム化していく。ゼロダテでは経済的・文化的な問題だけでなく、人口減少・高齢化などあらゆる領域で社会問題を抱える地元に対し、郷土愛をもった創造的な活動で街を再生すべく活動した。自分たちが街を楽しみ、生き生きと暮らすことで、新しい街を創造しようというビジョンを掲げてきた。

メンバーを集める

ビジョンができたら、かんたんな企画書を書こう。最初の段階では、自分のやりたいことを書いたメモ程度のものでもいい。それを友だちや先輩、街の人、さらには企業や行政、団体など、一緒にやってほしい人たちに見てもらい、プロジェクトのメンバーを集めていく。

コミュニティ・アートプロジェクトに必要なメンバーには、大きくわけて三つのタイプがある。①意思決定を行うコアメンバー、②その周辺でサポートするスタッフ、③さらにその周辺で応援してくれる応援団である。

①コアメンバー　企画会議に参加し、プログラムの決定、会場や人員の手配、スケジュール作成など運営すべてをとりしきるのがコアメンバーだ。そのためにはプロジェクトの発案者と同じくらい強い問題意識を持ち、一緒にぶつかっていける人でなくてはならない。

優れたコアメンバーを集めるための最小で最大の武器が企画書である。企画書をもって会いに行き、ダイレクトに思いを伝えるのがよい。その人の気持ちが揺り動かされない限りは、一緒にプロジェクトをやるのは難しい。そのためには説明会をするだけではなく、飲み会をしたり、実際に作品を見せたり、ときには一対一で話しあう時間も必要だ。一緒に現場を見に行くなど、少しずつ経験をともにすることで仲間になっていける。

②サポートスタッフ　自分の空き時間、経験値、スキルに応じてゆるやかなフレームで参加するメンバーがサポートスタッフである。一日単位で参加することも可能で、掃除や展示の監視、誘導などさまざまな仕事がある。

③応援団　さらにそのまわりに応援団がいる。お店や自分の仕事などが忙しくて参加はで

きないけれど、応援はしたいという人たちである。

ゼロダテの場合は3人の発案者が考えたビジョンを、それぞれの同級生にプレゼンするところから始まった。さらに市民説明会を開き、ゼロダテの活動に共感する市民を広く募った。初年度は実行委員（コアメンバー）が約15人、サポートスタッフが約100人以上、そしてたくさんの応援団の人たちがひとつになってゼロダテを盛り上げていった。

ゼロダテのような市民活動では、意思決定のプロセスはトップダウン式ではなく、ひと手間かかるがボトムアップ式にしていくべきである。市民の思いを吸収しないまま意思決定すると、いつしかずれが生じてくる。理想的なのは市民の思いが、組織や企画にダイレクトに影響を与えるようなあり方である。現状のゼロダテでは実行委員会で市民の意見を吸収し、事務局機能を持つNPOがある程度の軸をもってそれを実現する仕組みになっている。そして次の年には、前年度にうまくいったことやいかなかったことを話し合い、その後に反映させていくというやりかたをしている（図1）。

ブレストを繰り返し、企画をたてる

コアなメンバーが集まったら、新しい情報をとり入れつつ、メンバー同士でどんどんアイデアを出し、ブレインストーミング（ブレスト）をしていこう。さらに周辺のサポーターや応援団、街のいわゆる「旦那衆」や行政担当者、市長などに対してもヒアリングをし、理想のビジョンに近づくための具体的なアクションプランをつめていく。

ブレストをする際のポイントは、とにかく楽しくやることだ。テーブルについてもいいし、飲み会でリラックスしながら、くだらない話を含めてざっくばらんに意見を出し合うのもいいだろう。ブレストで出たアイデアは、何日か寝かせたところでもう一度そのイメージを意識化していくと、どんどん広がっていくことがある。その方向性をメンバー全員で共有し、内容や日程を決めていくのがよい。

最初は自分だけの「思い」だったものに、さまざまな人たちの意見を取り入れることで多様性が生まれ、よりいっそう実現性の高い企画となる。とはいえこの段階ではまだ、場所や予算など現実的なプランには落とし込めていない、あくまで「こうしたい」というレベルでしかない。

正式の企画書を作成する

ビジョンから具体的に実行すべきアクションプランが見えてきたら、企画書に落とし込む。企画書には必ず5W2Hの要素を盛り込まなければならない。5W2Hとは、（誰が）（何

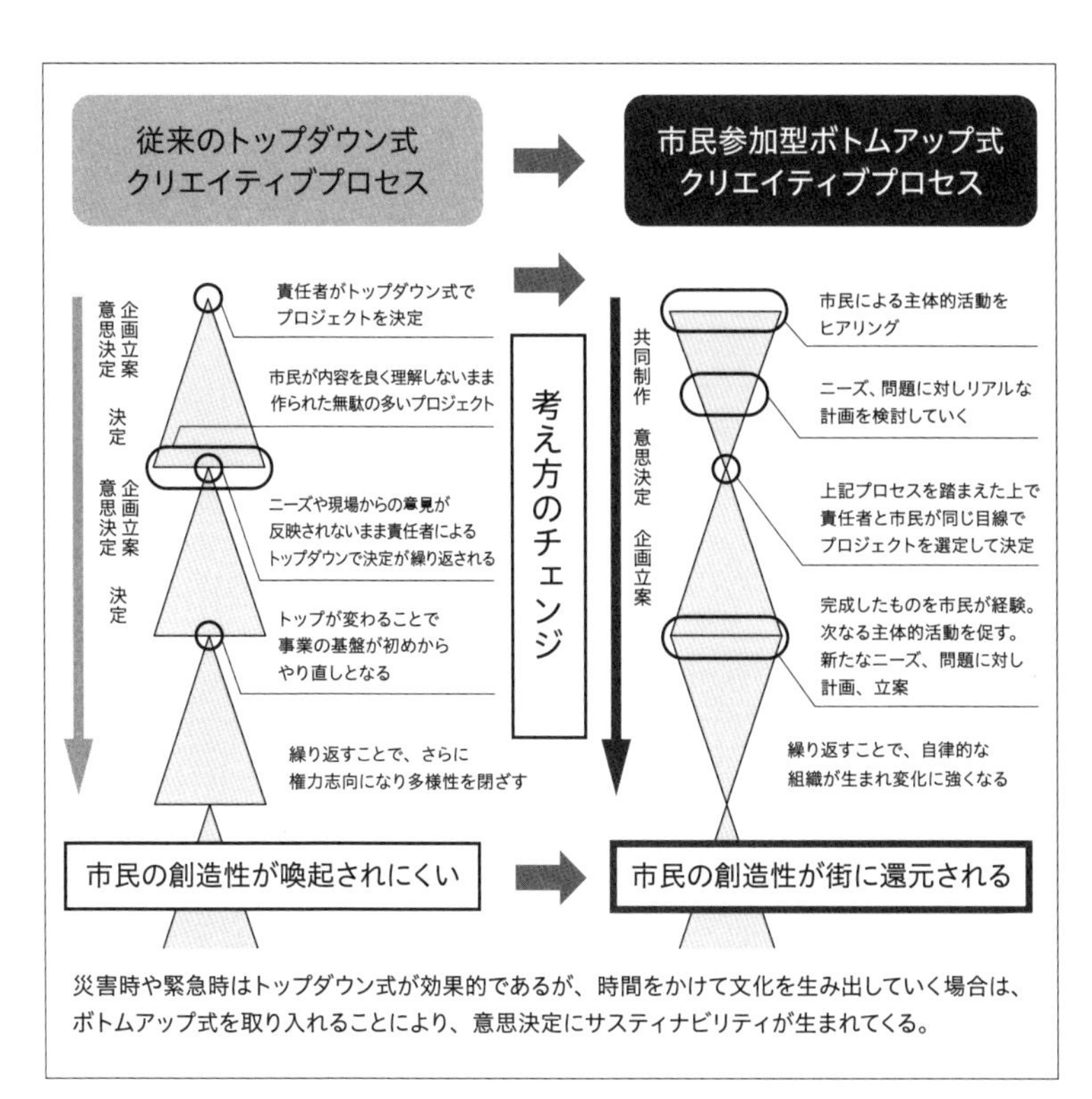

図1　クリエイティブプロセスの考え方

を）（いつ）（どこで）（なぜ）（どのように）（いくら）という要素のことだ。企画書を作成する段階では、これらをしっかりと埋めていく。この段階で曖昧な部分があると、後々まで問題として残ってしまう。

企画書の書き方には定型があるわけではない（枚数も自由である）。だができるだけ簡潔で、記述に客観性があり、お客さんの目線からみたときにビジョンがわかりやすいものがよい。いちばん大事なのは、ビジョンが立ち上がった段階から企画書を作り始め、プロジェクトのアイデアを検討するなかで、何度も修正を繰り返すことだ。なぜなら企画書のために書いた文言は、その後もチラシやウェブサイトなどで表に出すオフィシャルな情報となるからだ。

忘れてはならないのは、企画書はあくまでも「説明のツール」であるということだ。いいツールであればあるほど、自分たちの思いも伝わりやすくなる。

資金を集める

ゼロダテの場合もそうだったが、自己資金はほとんどなく実現性も低いけれど、これをやったら絶対におもしろいし、次につながるはずだというアクションプランがあった場合、どうやってお金をつくればよいのだろうか。

コミュニティ・アートプロジェクトの資金調達法としては次の3種類がある。

①物販や参加料、入場料などで自己収益をあげる　ただし美術展に対してお金を払う習慣は音楽のコンサートや演劇などと比べても少ないため、現実的にはなかなか難しい。

②文化的な活動を支援するための助成金、補助金を活用する　国や都道府県、市町村など行政のものや、民間団体によるものなど、様々な助成金や補助金を活用しよう。助成の上限額や自己資金の割合、支払い時期など条件はまちまちなので、よく確認してから活用すべし。

③市民から協賛を募る　最近増えているのが、市民から協賛を募るという第三の方法だ。街を元気にするための活動は公益性が高いため、一口5千円など少額にすると、比較的スムーズに市民から協賛金を募ることができる。最近ではウェブのプラットフォームを使ったクラウドファウンディングと呼ばれる小口の寄付も注目されている。これらは「頑張れよ」という応援の意思のあるお金だが、お礼（対価）も必要だ。支援者の名前を公開したり、入場チケットを進呈したり、金額によってはひとりの支援者のために特別なイベントを行う場合もある。

ゼロダテでは初年度に数百万の公的な補助金が得られる予定だったが、だめになってしまった。そのときは関係者一同かなり落ち込んだが、地元企業などに協賛金をお願いしにまわった結果、最終的には４００～５００万円もの寄付を集めることができた。アートプロジェクトとしてのテーマも共感を得やすく、新しいチャレンジにお金を出そうという人が多かった。それから毎年、協賛金を出してくれた企業への挨拶まわりは恒例となっている。

現在のゼロダテの予算は、助成金や補助金が約5割、協賛金が約3割、残りの約2割が事業収入である。物販やエリアマネジメント事業で自己資金を充実させることが今後の重要な課題であり、これまでにもTシャツ、手ぬぐい、CDなどオリジナルグッズの制作をしてきた。

スケジュールを決定する

企画が確定したら、スケジュールを決めよう。参加する各作家の予定や街の行事との調整はもちろん必要だが、スケジュールを決定するときに意外と抜けがちなのが、キャッシュフローとのかねあいだ。具体的にいうと、プロジェクトの予算として銀行残高がまったくない状態では、イベントにかかる経費も作家への謝礼も支払えない。

ところが公的な補助金、助成金のほとんどは、事業が終了して報告書を出してからはじめて交付される。企業などからの協賛金の支払いも、通常はお願いしてから3ヵ月後、あるいは半年後となることが多い。また物販などの自己収益の仕掛けも、実際にイベントが立ち上がらない限りは見込めない。だからこそ、スケジュールの確定とともに予算計画をたてなくてはならないのだ。

予算計画をつくるにあたっては、「理想的なプラン」と「厳しい場合のプラン」のふたつのラインをもつとよいだろう。「理想的なプラン」では、展覧会の会期、会場施工のグレード、広報予算、謝礼など、すべてが潤沢といえないまでも、それなりにかけられる状態をイメージする。他方、「厳しい場合のプラン」では、会場施工、広報、デザイン、搬入搬出などすべてを自分たちで行い、作家は手弁当で来てもらうようなイメージとなる。

私の経験からいうと、作家が主体となるプロジェクトの場合はほとんどの場合、「厳しい場合のプラン」のほうになる。逆にいうと、それさえ覚悟すれば実現できるということだ。予算規模にもよるが、業者に発注しないと形にならないようなプロジェクトの場合は、最初から確実なキャッシュフローの計画なしに実現することは難しい。

プログラムを実施するスケジュールにおいても、「ゼロダテ／大館展」のような地域密着型アートプロジェクトの場合、お祭りや商店街のイベントなど街の行事との連携は欠かせない。自分たちの街のアイデンティティに関わる活動だからである。したがって街に与える効果や影響を予測しながらスケジュールを決める必要がある。

プロジェクトを実施する期間は単年度とはせず、少なくとも3年は継続し、できれば6〜10年くらいの中長期的なスパンで考えるのが望ましい。もし1年目はうまくいかなかったとしても、2年目、3年目には成功するかもしれない。その3年後をイメージしながらプログラムを設計し、スケジュール感を出していけば、3年やったところでひとつの役割が終わり、次のビジョンへ向かうこともできる。

役割分担

コミュニティ・アートプロジェクトを実施するためには、参加する作家を除いても、運営側に次のような役割が求められる。これらの役割をメンバー間で適切に割りふり分担することが重要である。

①コーディネーター　プログラムの設計についてビジョンを持ち、企画書を具現化していく現場責任者のこと。会場選びから作家との連絡、日程、謝礼まで、あらゆる条件を調整する。人間性はもちろんのこと、メールの文章力からイベントの段取りまで、あらゆる分野で高いスキルが必要とされる。

②渉外　対外的な調整役。なにかの専門知識をもっていることよりも、プロジェクトを行う地域や街のことに精通している人が適任である（ゼロダテの場合は実行委員自身がその任にあたった）。街の現実的な情報を握っている人につないでもらうことで、企業や行政との調整もしやすくなる。

③施工（＋建築法規）　工務のスキルは会場構成の際、圧倒的に役に立つ。コンクリートの

壁にどうやって作品を設置するのか、複数の作品をどうしたら水平に並べられるのか。こうした作業も実際にやってみると簡単ではない。空き店舗を改修して展示会場にする場合などは、建築法規の知識のある人もいたほうがよい。

④広報　フライヤーの作成をはじめとして、メディア関係者に対してウェブやSNSなどで情報を流し、情報を拡散する責任者。どれほど優れたプロジェクトを実施していても、それが外に適切に伝わらなければ意味がない。

⑤会計　収入と支出の管理はどのようなプロジェクトでも必要だ。予算規模が大きくなってくると税金の申告も必要となるため、簿記の免許保有者がいるとなおよい。そこまでは難しい場合は、出納帳の記入と領収書の整理をきちんとした上で、最終的には会計士や税理士に相談しよう。ここで大事なのは、お金の流れを明解にすることだ。会計担当者だけでなく、他のメンバーでのWチェックを行い、計算が合わなくなったときにも会計担当者ひとりの責任にしないことが大切である。

⑥編集／デザイン　プロジェクトのプランが具体化するのにあわせて、スケジュールや作家のプロフィールなど、集まってくるすべての情報を編集し、分かりやすくデザインしていく。このときの「編集方針」次第で、プロジェクトの見え方がガラッと変わるので、重要な役回りである。最終的な実施内容は土壇場で変更することも多々あるので、編集／デザインの担当者は内部で抱えたほうが臨機応変に対応できる。

⑦記録　自分たちがやってきたことをどう評価し、どのように残すのかを考えよう。形式としては印刷物のカタログ、ウェブやＳＮＳなどがある。プロジェクトの活動イメージを伝えるためにも、この記録という役割は非常に重要である。

⑧サポーター担当　プロジェクトを応援したい、という気持ちで集まってくれたサポーターたちの思いは、しっかりと吸収してプログラムに取り入れていくのがよい。お金のためではない、ボランタリーな彼らの精神が街に還元されるよう、資金の流れを扱うのと同じくらい丁寧に考えていくとよい。雑用的な役割に思えるかもしれないが、この作業がどれだけ重要な意味をもつかを理解すれば、やりがいを持って取り組んでもらえるはずだ。

以上が主な役割とその分担だが、実際は一人の人間が複数の役割を重複して担当することもある。限られたメンバーのなかでは、デザイナーや編集者が足りないというのは日常茶飯事だからだ。ゼロダテの場合は、基本的に「ものをつくる」人間であるコアスタッフが、企画書作成から補助金申請、広報物、展覧会の制作、会場の施工、写真・映像記録、お客さんの誘導まですべてを行った。少人数の場合、ひとりで何役もこなしてはじめて、地域に対してある程度まで開かれたプロジェクトが作れるようになる。

広報

プロジェクトの周知徹底のために、担当者を中心として広報戦略をたてることも重要だ。そのときには、具体的に「この人にこのことを書いてほしい」という名簿、いわゆる「アタックリスト」をつくるのがもっとも重要だ。まずは新聞やテレビなどマスメディアの関係者に丁寧に情報を渡し、それぞれの媒体で記事を書いてもらう。さらに各種のウェブサイトにアクセスし、イベント情報を流してもらうようにしよう。個人ブログやツイッター、フェイスブックなどのSNSで取り上げてもらうことも有効だ。これらがうまくいけば、情報は拡散していく。

広報ツールとしては、伝統的なポスターやチラシといった紙媒体のほかに、いまでは絶対に欠かせないのが公式ウェブページである。これがないと、もはやイベントとしてもプロジェクトとしても成立しない、というくらい重要である。

たとえわずか数時間で終わるようなイベントでも、公式サイト上に1ページだけでいいので記事を作っておきたい。規模が大きくなり、何十人もの作家が参加するような場合には、ウェブサイトを使わなければ告知したいすべての情報を掲載しきれなくなる。「チラシ1万枚」よりも、「ウェブへの1万アクセス」のほうが圧倒的に費用対効果が高い。いまはまだ過渡期なので、郵送でDMをもらわないと展覧会に行く気がしないという人もいるが、SN

Sのリアルタイム情報でなければキャッチできないという若い世代も増えている。したがって先の広報担当者には、ウェブやSNSのセンスがどうしても必要となる。

こうした広報戦略のスケジュールは、イベントの開催日から逆算して決めていく。プレスリリースやチラシを、いつ誰に発送するか。地域や各メディアへの情報公開日、協賛活動を進めるタイミングなど、すべて開催日から逆算して計画をたてるのが基本である。

ゲスト（作家）を迎える

滞在型のプロジェクト、いわゆるアーティスト・イン・レジデンスの場合、作家がその街に入って作品のプランを出し、滞在しながら制作の準備を行う。準備段階ですでに、その作家の人生観や文化的背景が街にしみ出し、影響を与える。作家を迎える側のスタッフの発言や街の風景なども、すべてが作家に吸収される。それがさらに街の記憶になり、作家のエネルギーとなる――こうした循環が生まれるのが理想的なアーティスト・イン・レジデンスである。

滞在経験のディテールは、制作される作品に刻まれるだけではない。その土地のおいしいものを食べる、みんなで飲みに行く、温泉に行くなどの「共同性」を大切にしたい。なぜならこうしたプロジェクトの目的は、美術館のように「作品を保存する」ことではなく、関係した人それぞれが文化的、芸術的な刺激のなかで豊かになっていくことだからだ。

作家とスタッフが一緒にご飯を食べるだけでも親和性が生まれる。ふだんはバラバラに動いているスタッフや作家にとって、食事は時間と場所を共有できる大事なコミュニケーションツールである。ゲストとして迎える作家には世界的に活躍する人もいれば、まだまだかけ出しの人もいる。そのいずれもが、作家として表現を成立させるリスクを背負っている。作家たちへのリスペクトは必ずもってほしい。

リスペクトの有無は、作家が到着したときの出迎えから、宿泊施設に案内するときの態度などすべてにあらわれてしまう。もちろんゲストとして迎えられた作家側も、市民がボランタリーに運営する企画なのだから、一方的にリスペクトされるのを当然と思わず、スタッフに対してもリスペクトの気持ちをもってほしい。お互いの認識にずれが生じたり、段取りが狂ったりするという問題は、こうしたプロジェクトの場合、つねに避けがたく生じてくる。そのときはひとつひとつ丁寧に話し合って解決していくしかない。それを乗り越えるのに必要なのは、判断力、決断力のすべてである。困難が生じても、あきらめずに作戦を練ってほしい。

私の経験では、自分たちの「ダメなところ」がはっきりとわかったほうが、そのプロジェクトは実現に向かう。なぜなら、その部分を解決すればよいだけだからだ。つまりなにかトラブルが起きたときは、具体的になにがどのようにダメなのかを関係者からきちんと聞き取ることが大切だ。マネジメントをする立場の人は、問題が起きた部署やスタッフが抱えている問題をしっかり聞き出し、トラブルが大きくなる前に解決しなくてはならない。

オープニングと交流

最初はビジョンだけだったものが具体的なイベントや作品というかたちになり、いよいよオープニングを迎える。企画の趣旨にもよるが、オープニングパーティには地域の来賓ほか、見に来てほしい人たちを招待しよう。メディア関係者もできるだけ招待し、作家自身にも作品やプロジェクトへの思いを述べてもらうのがよい。運営スタッフにとってはそれまでの苦労が報われ、思いが集約される瞬間だ。スタッフへの慰労を忘れず、作家へのリスペクトもかたちにしよう。お客さんにとっても、オープニングパーティはふだん目にすることのない様々な人に会うことができる機会であり、ふるまわれるお酒や食事も楽しみのひとつだ。

オープニングパーティや各種イベントでは、運営スタッフもお客さんとできるだけ会話をしたほうがよい。そういうコミュニケーションが苦手な作家もいるので、運営スタッフが表に出てお客さんを迎え入れよう。プロジェクトの背景や作品の説明を丁寧にすれば、アートプロジェクトに対する厳しい見方が和らいだり、お互いの理解が深まったりする。

そのときは、「どこから来たのか」といったレベルの世間話からはじめ、少しずつ話題を広げてその人が興味を持ちそうな街の話題を聞き出していく。おいしいお店を教えてもらうことだけでも、街のアイデンティティに触れるきっかけとなる。ひとりでも多くの参加者と名刺交換し、芳名帳に記入してもらうことで参加した証を残し、運営側はそれをしっかりと受け止めることが大切だ。

開催内容に対しては、褒める人もいれば貶す人もいる。いずれにしても、外部の人にプロジェクトを客観的に評価してもらうことが、次のプロジェクトを立ち上げるエネルギーとなる。貶されたことが嫌でもうあきらめるか、よし、もっとやるぞ！　となるか。展覧会やプロジェクトをやり続けるエネルギーは、誰かに評価された瞬間に宿るといっても過言ではない。

記録・報告

会期中は記録担当者を中心に、主要なシーンを写真、動画、音声など様々な媒体で記録しておくのがよい。自分たちのやったことをあとから位置づけるにあたり、イメージコントロールの面でも大切である。写真1枚のクオリティ次第で、カタログやウェブでの情報の伝わり方がまったく変わってしまう。写っている人の表情がよければプロジェクトのイメージもプラスの価値で伝わりやすいし、暗くて色味がつぶれていてはそのよさはまったく伝わらない。写真1枚にも、ひとつの作品を作るのと同じくらいのエネルギーをかけるべきである。

プログラムがすべて終了したら、事前の企画書に対応させるかたちでその成果を、入場者数、掲載メディアなどのデータも盛り込んだ「マニュアル・レポート」として作成する。このレポートは協賛金、補助金、助成金を出してくれた人に届けるもので、支援に対するお礼の意味も含め、しっかりと作って報告するのがルールである。

各種のメディアに掲載された情報も、原本は丁寧にファイリングしておき、いつでもコピーを人に渡せるようまとめておく。これらがイベントに対する客観的な評価となる。

アンケートを用意し、オープニングをはじめとするイベントごとに集め、客観的な意見や数値を収集するのもよい。専門家に依頼してプロジェクトがもたらした経済効果などを、客観的な数値で評価してもらうことができれば理想的である。

以上、あくまでもゼロダテをベースとした一つの例に過ぎないが、コミュニティ・アートプロジェクトの流れを紹介してきた。私の経験では、こうしたプロジェクトが成功するかどうかは、ビジョンがいかに生まれ、プログラムとしていかに設計するかにかかっている。最終的にかたちとなり、外部からの評価を受けるまでには様々なことが起きるが、最後はまた初めのビジョンに戻っていく。

ひと区切りがついたら、コアメンバー同士が徹底的に議論し、思いをぶつけあってほしい。

プロジェクトの前と後で、それぞれの生活や文化に対する感覚や意識がいかに変わったか。それをお互いに言葉にし、突き合わせていくことがとても大切だ。次のプロジェクトをまた同じメンバーでやるのかどうかが、それによって明らかになる。しばらく休憩するという人もいれば、新しく入る人もいるだろう。

プロジェクトを人生をかけた仕事としてやっていくリーダーは、それぞれのメンバーの思いを受け止めて、一度ここでピリオドを打つ。そうしてまた次のプロジェクトを始めるのだ。プロジェクトには終わりはなく、すべては循環していく。

あとがき

２０２１年7月、東京都に新型コロナウイルス感染症対策で4度目の緊急事態宣言が発令され、時を同じく東京ビエンナーレ2020/2021が開幕。海外からの招聘アーティストは、全員来日できない状況での国際芸術祭の第一歩が始まった。一日のコロナの感染者は４０００人近くになり、移動を制限され、芸術祭とするとかなり茨の道であるが、壁が厚く険しいほどやりがいを感じる私としては、この状況下だからこそ丁寧に地域と関係をつくり、考え得る対策を練ってチャレンジしていくしかないと覚悟を決め挑んでいる。

ところで、東京ビエンナーレが始まり、それまでと少し異なった感覚を覚えたことがある。それは、ここ東京が自分の地元という感覚が少し実感されてきたことだ。私は、神田小川町にここ数年住んでいるのだが、その実感は、隣接する「優美堂」「レインボービル9階」「顔のYシャツ」と三カ所でアートプロジェクトの活動を始めたことにも所以する。特に自分が住んでいたレインボービル9階から優美堂に住居を移す事と、「顔のYシャツ」をスタジオ化する事を決めたのが大きい。

生まれは秋田県大館市ではあるが18年しか住んでいなく、東京はもう40年近くも住んでいることになる。そんなに長く住んでいるのだから当たり前のように思えるかも知れないが、実際はずっとアウェーで、外から来ている地方出身者という地元住民とは一線を画すような意識があった。

しかし、東京ビエンナーレが開幕したあたりから不思議とそれまでとは違う、ここが自分の街と言いたくなるような意識が発芽して来た。優美堂の掃除から内容工事まで一連の作業を息子やその同級生達と一緒に汗をかき制作し、1920年創業の「顔のYシャツ」の店舗、住居に宿る〝ゲニウスロキ〟を建物内部から感じる事で、この街に自分の何かがちゃんとつながり出してきたように感じた。東京ビエンナーレの会場も50カ所70組のアートプロジェクトが走っていてその全ての諸関係を調整してきたので、今までにないシナプスの枝葉が東京ローカルの細部に張り巡らされてきたからかも知れない。また、銀座や新宿でゲリラ活動をしてきた頃と全てがつながり始めて来たからかも知れない。ピエール・ブルデューの身体化される文化資本は、20歳くらいまでに得た経験や環境から獲得できるとするが、私の場合、その身体化する事が還暦を迎える今、起こってきているように思える。

「個人の創造力と都市の創造力がシンクロする事」

このことを体感したくて数々のアートプロジェクトをつくってきたが、このシンクロする事の実体とその実感が、やっとつかめそうになってきているように思える。

私のプロフィールには、「アーティストイニシアティブ コマンドN（1997〜）とアーツ千代田 3331（2010〜）の活動において10カ所の拠点、740本のアートプロジェクト、3100本のイベントをつくり、2000名のアーティストと協働、延べ180名のコアスタッフ、約1350名のスタッフ等と協働する」と書いている。ここには、街の人、企業の人などは含まれていないが、今まで会ってきた地域の多くの人達も含めて考えると、私個人の創造力と都市の創造力とがシンクロするプロセスの一つひとつと、これらの人達との社会関係資本の実体が、私の身体化する文化資本を形成してきたと言える。

また、それが最近感じ始めている東京を地元として意識する新たな感覚の所在と言える。

最後に、本書にとりあげたアートプロジェクトを一緒につくりサポートしてくれた方々、プロジェクトを支援し助成してくださった企業、財団、公的機関、地域の皆様。最後まで諦めず書籍化を進めていただいた編集者の仲俣暁生さん、晶文社の安藤聡さん、デザインに留まらなく助言をしていただいたアジールの佐藤直樹さん、菊地昌隆さんはじめ、執筆にあたって貴重なサポートをしてくださった多くの皆様に心から感謝いたします。

2021年8月

中村政人

著者について

中村政人(なかむら・まさと)
1963年秋田県大館市生まれ。アーティスト。東京藝術大学絵画科教授。「アート×コミュニティ×産業」の新たな繋がりを生み出すアートプロジェクトを進める社会派アーティスト。2001年第49回ヴェネツィア・ビエンナーレ、日本館に出品。マクドナルド社のCIを使ったインスタレーション作品が世界的注目を集める。1993年「The Ginburart」(銀座)1994年の「新宿少年アート」(歌舞伎町)でのゲリラ型ストリートアート展。1997年からアーティストイニシアティブ コマンドNを主宰。秋葉原電気街を舞台に行なわれた国際ビデオアート展「秋葉原TV」(1999~2000)、「ヒミング」(富山県氷見市)、「ゼロダテ」(秋田県大館市)など、地域コミュニティの新しい場をつくり出すアートプロジェクトを多数展開。アーティストイニシアティブ コマンドN(1997~)とアーツ千代田3331(2010~)の活動において10ヵ所の拠点、740本のアートプロジェクト、3100本のイベントをつくり、2000名のアーティストと協働、延べ180名のコアスタッフ、約1350名のスタッフ等と協働する。現在、その多くの表現活動から東京の文化芸術資源を開拓する「東京ビエンナーレ2020/2021」総合ディレクターを務める。

アートプロジェクト文化資本論
3331から東京ビエンナーレへ

2021年9月5日 初版

著者:中村政人
発行者:株式会社晶文社
東京都千代田区神田神保町1-11 〒101-0051
電話:03-3518-4940(代表)・4942(編集)
URL:https://www.shobunsha.co.jp
印刷・製本:ベクトル印刷株式会社

ISBN978-4-7949-6978-1 Printed in Japan